ANNA BINI   GILLES DE CHABANEIX   CATHERINE DE CHABANEIX

TOSCANE

Balades gourmandes au rythme des saisons

Minerva

Édition originale
Textes : Anna Bini
Beppe Manzotti (pp. 5, 47, 99, 137)
Photographies : Gilles de Chabaneix,
Stylisme : Catherine de Chabaneix
Création maquette : Jean Jacques Driewir

Les auteurs remercient les chefs et les restaurants cités
pour leur collaboration et les recettes gentiment suggérées.

Édition française
Traduction : Étienne Schelstraete
Adaptation et réalisation : Premier Chapitre, 89450 Vézelay

Édition originale publiée en mars 2002
par Giunti Gruppo Editoriale, Firenze

Édition française :
ISBN 2-8307-0688-9
© 2003 Minerva, Genève (Suisse)
Dépôt légal: mars 2003

Imprimé en Italie

Sommaire

Lorsque, en Toscane, on parle du printemps, la première image qui vient à l'esprit est la grande œuvre de Botticelli exposée à la galerie des Offices. Du passé, rares sont les rêves authentiques qui nous restent, ces rêves transcrits par le rêveur dès son réveil. Le grand rêve allégorique de Botticelli, chargé de symboles limpides, peut se lire comme une synthèse harmonieuse de notre saison. Les couleurs des floraisons, du blé qui pousse, de la première verdure, des pêchers et des cerisiers en fleurs dominent le printemps toscan. Mais la couleur dominante, en particulier dans certaines régions, c'est le violet clair de l'iris, cultivé intensivement pour l'industrie des parfums. Autour de San Polo in Chianti, certaines collines sont littéralement violettes pendant les quelque deux semaines de floraison. D'un violet plus pâle, la glycine orne aussi les murs des villas et des jardins, tandis que des haies de lavande délimitent les potagers. L'autre couleur dominante, c'est le jaune, car une grande quantité de genêts illuminent les terres non cultivées. Le printemps est la saison douce et idéale pour découvrir, plus que les villes envahies alors par un tourisme agressif et rapide, leurs environs, les jardins extraordinaires des villas nichées dans les collines ou derrière les hautes murailles. Si l'on va plus loin, ce sont les collines du Chianti qui nous attirent, espaces où le travail de l'homme apparaît comme une expression de civilisation et de culture. Là, sur les coteaux de Greve, de Bargino, de San Casciano, de Badia a Passignano, on produit un des meilleurs vins d'Italie, qui, dans cette zone limitée, offre le meilleur de sa production, tandis que dans les restaurants et les plus modestes trattorias, ce sont les potagers qui fournissent une matière première parfumée, objet de savoureuses élaborations. Les chartreuses, les abbayes et les églises participent à l'esprit de la saison. La fête de saint Benoît, père du monachisme occidental, est célébrée au printemps. Le sens mystique retrouvé, le retour au chant grégorien et à la dimension contemplative de la vie favorisent de longues méditations qui mettent en scène la grande spiritualité d'autrefois et son cadre architectural élaborés par des esprits élevés qui avaient le ciel comme référence. Une Toscane riche de ferments antiques, plongée dans une nature éternelle. À partir de l'intelligence des choses, on aborde le registre d'une méditation classique. *printemps...*

Mars : entre Florence et Sienne, collines et bourgs enchantés

Dans un jeu de pierres et de coquilles, une gracieuse figure semble esquisser un pas de danse : dans le jardin à l'italienne, la scénographie semble naturelle, mais elle est, au contraire, savamment construite.

Le printemps s'annonce : le jardin de la villa Gamberaia est encore assoupi, mais c'est à cette époque que sa magie est la plus grande. Le rose pâle des nymphéas est la seule note de couleur au milieu du vert intense du buis, protagoniste de ce merveilleux jardin à l'italienne. Des mains habiles ont donné à la végétation des formes parfaites, et c'est un spectacle de voir les jardiniers perchés sur leurs longues échelles, occupés à entretenir l'architecture à la fois rigoureuse et harmonieuse de cette œuvre.

Bientôt éclatera le fuchsia des azalées, alors que le rose et le bleu des hortensias égaieront le jardin secret, ses niches et ses fontaines en forme de grottes ; bientôt les vasques des citronniers quitteront la belle serre pour regagner leur place sur les socles qui entourent la grande terrasse plantée où se côtoient les fleurs et les plantes potagères ; bientôt les couleurs vives des roses enrichiront le vert du buis autour des vasques. Pour le moment, le bosquet de chênes laisse filtrer l'argent des oliviers et l'image floue de la ville.

Une atmosphère XIXe siècle imprègne toujours la villa Bencistà, à Fiesole. L'endroit idéal pour les visiteurs qui aiment « une certaine idée » de la Toscane.

La villa Bencistà, dont le nom signifie « on y est bien »,
n'a rien d'un hôtel : ses chambres, ses escaliers et ses
salons lumineux recréent la chaleur et l'atmosphère
d'une vieille demeure familière. Florence est toute
proche, mais les bruits et la circulation sont bien loin.
Le manteau lilas de la glycine est à peine tombé et c'est
le vert des feuilles qui couvre maintenant la terrasse.
Les chaises, qui semblent attendre les hôtes qui rentreront
en fin de journée, invitent à s'arrêter, à laisser vagabonder
le regard vers la verte colline de Fiesole, tapissée de
villas, et sur la douce vallée qui les sépare de la ville.

Un must de la cuisine toscane : la friture de poulet et d'artichauts. Des feuilles d'artichaut forment la corolle d'une fleur dont le centre est un nid de linguine au persil.

Il est encore tôt pour goûter les mamme, les célèbres artichauts d'Empoli, petite ville de la province ; mais la trattoria Pandemonio use des tendres morellini pour offrir des pâtes somptueuses, ainsi qu'une friture rustique. Ici, les rôles sont inversés : Giovanna, la mère, est dans la salle ; Francesco, le fils, qui réalise aujourd'hui sa véritable passion, est en cuisine. Après avoir abandonné le monde de la mode, pour lequel ils fabriquaient des ceintures raffinées, ils fabriquent aujourd'hui des plats maison, simples et savoureux ; leurs excellents spaghettis aux artichauts sont présentés comme « les pâtes de Cecco ».

*Depuis
le portail,
une vue de
l'élégant
portique qui,
à Pontignano,
donne sur
le jardin à
l'italienne.
Construit
à l'extérieur
de l'ensemble
monastique,
il fait penser
plus à une
résidence
qu'à une
chartreuse.*

Sa fondation est attribuée à Charlemagne, et la légende veut que les fées la construisirent en une seule nuit, en portant les colonnes sur leur tête et les pierres sur leurs doigts. Le pouvoir de Sant'Antimo fut immense, et sa beauté est encore grandiose et intacte, difficile à décrire dans son isolement magique. Quant à la chartreuse de Pontignano, elle est différente, mais son charme est tout aussi grand. Plusieurs fois détruite, elle fut plusieurs fois rebâtie. Le jardin et le potager se confondent devant le double portique de la demeure qui apparaît depuis le portail et qui fut reconstruite au XVIIe siècle, en même temps que les deux grands cloîtres intérieurs. Aujourd'hui restaurée, elle est centre d'études et oasis de paix.

Walter, le cuisinier de la frateria, pose en souriant devant l'objectif ; le chien, allongé à ses pieds, paraît indifférent.

Jadis, les couvents offraient aux voyageurs le confort de la nourriture et du repos. Aujourd'hui, la Frateria di Padre Eligio offre l'hospitalité dans ses cellules, meublées avec un goût raffiné, alors que la cuisine de Walter réconforte même l'hôte le plus exigeant. À l'intérieur, la succession des voûtes, des cloîtres et des étroits couloirs crée une atmosphère magique et paisible. À l'extérieur, la beauté du jardin, du bois, des prés, des sentiers, ainsi que la perfection des potagers, ajoute un émerveillement à l'impression de quiétude.

La saveur des mets en fait de petits chefs-d'œuvre, pour la plus grande joie du palais, tandis que leur composition crée un spectacle étonnant pour les yeux.

Les fleurs et les courgettes juste cueillies sont aussitôt transformées avec raffinement en une timbale succulente. Les ingrédients viennent des potagers de la frateria, que les membres de la communauté ont rendus semblables à des jardins. L'huile, verte et transparente, vient de Belverde, où d'autres jeunes gens entretiennent les oliviers et pressent les olives avec une meule de pierre, comme autrefois. D'autres communautés fournissent tout ce que Walter utilise : cette particularité, conjuguée avec son talent fait à la fois de simplicité et d'invention, procure à ses plats une fraîcheur et une authenticité uniques. La perfection est amour, a dit un jour l'un des jeunes gens qui ont retrouvé ici la joie de vivre ; et ici, comme le montrent les potagers, tout est bien perfection et amour.

Avril : une fête de Pâques tranquille, loin de la foule

À chacun son parfum. Dans son atelier, Lorenzo élabore des essences personnalisées avec un don particulier pour les combinaisons, à la manière de l'insecte qui combine les nectars de fleurs différentes.

Le printemps est parfum, une fleur est parfum, la gastronomie est parfum, et c'est avec les parfums que commence ce séjour toscan. Des toits qui dominent le Ponte Vecchio, une fenêtre donne sur Florence : le panorama est un miracle qui se répète tous les jours, et c'est ici que Lorenzo Villoresi crée ses parfums sur mesure. C'est après un voyage en Inde que ce diplômé de philosophie se prend de passion pour les essences. Rentré à Florence, il se met, chez lui, à mélanger les feuilles des oliviers et des cyprès, le romarin et la sauge, tous prélevés dans le jardin familial. Il compose des pots-pourris parfumés et insolites, et commence ainsi sa production, entre l'artistique et l'artisanal. Mais pour Lorenzo, les essences ont une signification plus importante et plus profonde : il se consacre alors à une étude psychologique de la personnalité pour pouvoir comprendre, en parlant, les préférences et les habitudes des personnes. Après une agréable conversation, dans un coin magique parmi les toits, on peut ainsi exprimer sa personnalité à travers un parfum.

*La ferme de pierre,
les cyprès et les bois
de plus en plus rares
présentent encore
l'ancienne ordonnance
du paysage toscan.
Tout aussi
caractéristiques
de la Toscane, voici
l'insolite flan de
ricotta, relevé d'une
sauce aux herbes,
ainsi que le plat de
pappardelle aux cèpes,
plus simple.*

Verdoyante et parfumée : telle est la campagne
toscane à cette époque. Au sommet d'une des collines
les plus douces entre le Chianti et le val d'Elsa, une
maison de rêve offre l'occasion d'apprendre la cuisine
familiale, de se plonger dans la gastronomie de la
région et de découvrir les produits du printemps,
tout juste récoltés. À portée de main, des œuvres d'art
et des villages d'une Toscane insolite, moins connue.
Le soir au retour, les fourneaux attendent, la ricotta
et la courge se transforment en un petit flan, et les
tagliatelles sont prêtes.

Argile modelée au tour, biscuits émaillés et peints à la main, plats, cruches, pichets, vases et jarres : ce sont les modèles antiques que Tuscia reproduit, sans en altérer le style.

C'est la céramique qui, à Montelupo, est parvenue à raconter une histoire longue de sept siècles. Pendant des années, les fouilles ont mis au jour d'innombrables fragments d'anciennes majoliques : ce fut la « chasse au tesson ». Un puits, découvert sous les lavoirs publics, a livré des tessons qui remontent jusqu'au XIVe siècle. Ce « puits des lavoirs », comme on l'a appelé, avait servi de décharge : les fragments retrouvés ont permis de créer un des musées de la céramique les plus prestigieux. L'art des potiers a concerné des familles entières, qui seraient aujourd'hui bien fières de nous voir considérer comme des trésors les objets dont ils se débarrassaient.

Alors qu'un chien semble attendre le retour de son maître ou la caresse d'un passant, les aigles perchés sur un toit paraissent prêts à s'envoler. Avec ces terres cuites artistiques, Mario Baldi met son imagination au service d'une longue et noble tradition.

« Civilisation de la terre cuite » : c'est ainsi qu'est appelée, depuis des siècles à Impruneta, l'antique tradition artisanale de la terre cuite. Aujourd'hui, l'art et la culture que les céramistes se transmettent de père en fils sont encore bien vivants. Des mains habiles modèlent des figures et de petits objets, des statues et de grandes vasques, des vases et de simples briques, des masques et des jarres pansues. Dans le four à bois, la technique séculaire de la cuisson donne à la terre cuite une couleur rosâtre caractéristique, au charme antique. Brunelleschi réalisa sa célèbre coupole avec des tuiles issues de ces fours, et c'est ici que naissent les splendides carrelages et les décors raffinés qui, depuis toujours, ornent les palais et les villas de Florence.

Delfina, personnage exceptionnel qui s'identifie encore avec le restaurant qu'elle a fondé sur les collines de l'Artimino. Les légumes de son potager fournissent les précieux ingrédients de ses créations gastronomiques.

Sur les collines d'Artimino, où alternent les oliviers et les épaisses pinèdes vertes, Delfina, âgée de quatre-vingt-dix ans, non seulement s'occupe des légumes frais de son potager, mais continue aussi de récolter dans la campagne les herbes sauvages les plus variées et les plus parfumées. La bourrache, l'ortie, la pariétaire deviennent tantôt un flan, tantôt une sauce, colorent les tagliatelles maison ou se muent en d'exquises farces. Vêtue comme à l'époque où, derrière ses fourneaux, elle amusait les fidèles clients, elle veille tous les jours sur son petit-fils le cuisinier, sur son fils, sur la cuisine, les clients et la salle. Et rien ne lui échappe.

Les métamorphoses extraordinaires de légumes frais et d'herbes sauvages sont avant tout le résultat d'une créativité personnelle innée.

Courgettes, fleurs, sauge, bourrache et oignon sont passés du potager à la poêle ; légers et croquants, ils sont frits avec l'huile pure des oliviers de ces collines. Une timbale de navets semble flotter, posée sur une crème veloutée de haricots. La cuisine représente ici la campagne, la simplicité et le parfum des produits frais ; pauvre et rustique à l'origine, elle peut se faire riche et raffinée, quand le goût ancien évolue vers des associations nouvelles, bien trouvées et insolites.

Mai : jardins en fleurs des villas de Lucques et de Florence

Dans la verdure ponctuée de couleurs pâles, dans un décor qui pourrait constituer en lui-même une toile, une femme peintre, à l'air anglo-saxon, capture la lumière dans son atelier en plein air.

À Florence, les premières semaines de mai offrent une occasion unique de visiter le Jardin de l'iris, qui offre un spectacle tout aussi unique. Situé en contrebas du piazzale Michelangelo et cultivé dans le style d'un jardin toscan rustique, il s'ouvre sur le splendide panorama de la ville. Les iris sont en pleine floraison : plus de 2 500 variétés sont cultivées, et le jardin est, dans son genre, le plus grand et le plus célèbre d'Europe. La fleur rouge sur fond blanc qui est l'emblème de la ville est appelée communément « lys de Florence ».

Jusqu'à présent, il n'existe pas encore d'iris vraiment rouge, mais les recherches continuent : les plantes repoussent chaque année à leur place, classées avec les données des concours précédents, de manière à pouvoir suivre leur évolution. Des peintres s'efforcent de fixer sur leurs toiles les incroyables tonalités des iris, tantôt violentes, tantôt délicates, comme leur parfum. La promenade entre les oliviers et la merveilleuse symphonie des couleurs laisseront au visiteur la sensation d'être tout juste sorti de la toile d'un impressionniste.

L'harmonie des tons et la paix du lieu sont un privilège réservé aux hôtes de cette villa située sur les pentes d'Arcetri, rue Suor Maria Celeste, une rue qui doit son nom à la fille de Galilée, entrée dans les ordres.

Il n'est pas resté grand-chose de ses origines Renaissance, mais les différentes restaurations n'ont rien enlevé à son charme. Livia a hérité de cette villa qui appartenait à sa famille depuis 1800 ; avec Lorenzo, son mari, elle propose une hospitalité raffinée et chaleureuse dans des chambres aux noms romantiques et dans l'atmosphère d'une élégante et classique demeure florentine. La villa Poggio San Felice est entourée d'un délicieux jardin XIXᵉ siècle et donne sur Florence à travers le beau décor magique de la colline du Pian dei Giullari.

Les statues de pierres, situées « naturellement » au bord des pelouses ou au milieu de la végétation, évoquent l'image d'une vie harmonieuse.

De leurs socles, de gracieuses statues enveloppées de silence jettent un regard énigmatique sur les viviers et les nymphéas du magnifique parc que Filippo Iuvarra, célèbre architecte du XVIIe siècle, dessina pour la villa Mansi, une des villas les plus belles et les plus élégantes de Lucques. Peut-être, comme le rapporte une légende mystérieuse et fascinante, leurs yeux ont-ils vu vraiment la belle Lucida Mansi se mirer dans le grand bassin pour vérifier que sa beauté était toujours intacte et que le pacte scellé avec le diable était ainsi respecté. Tapies sous la végétation, ces statues semblent attendre que le jardin se réveille pour revivre la vie élégante et oisive d'une époque désormais révolue.

Des figures mythologiques ornent les grottes, alors que des statues allégoriques animent l'harmonieuse façade sur jardin. Exposées aux intempéries, les statues présentent la blancheur ternie et la porosité d'un morceau de sel qui s'effrite.

Derrière une grille majestueuse, au fond d'une longue allée de cyprès, apparaît la façade de la villa Torrigiani, à Camigliano. Dans les niches, les blanches statues de marbre se détachent sur le fond presque violent du jaune, adouci par les contours gris de la pierre. Les nombreuses fenêtres reflètent la lumière des bassins qui animent le parc conçu au XVIIᵉ siècle par Le Nôtre, architecte du Roi-Soleil. Un double escalier mène au jardin secret, le « jardin de Flore ». Là, les fleurs, les herbes et les jeux d'eau alternent avec des figures monstrueuses et grotesques, qui semblent nous conduire, à travers une fable irréelle, ironique, jusqu'à la grotte couverte de pierres colorées.

Une école de sculpture itinérante s'exerce dans la chapelle à ciel ouvert ; en face, la première carrière utilisée par Michel-Ange est dominée par la cime blanche de l'Altissimo.

Michel-Ange a passé trois années à Seravezza, petit bourg situé au pied des Alpes apuanes, et l'Altissimo est la montagne qui lui a donné le marbre aux nuances transparentes avec lequel il a sculpté ses œuvres les plus belles. La chapelle se trouve à mi-chemin sur la route qui mène de Seravezza à l'Altissimo : de là, le panorama est spectaculaire, et l'on aperçoit une des premières carrières de Michel-Ange. De la chapelle à ciel ouvert parvient le bruit des marteaux sur la pierre. Tous sont penchés sur leurs sellettes disposées avec ordre : une école de sculpture cherche dans cette atmosphère l'art et le génie du grand sculpteur.

L'atelier de Galileo Chini est encore ouvert dans la maison de l'artiste, à Lido di Camaiore, et entretenu avec amour par sa petite-fille, Paola. Les dessins, les toiles, les céramiques, les photographies et les souvenirs continuent à vivre, comme la fleur qui, dans sa fraîcheur, sort du vase Art nouveau.

C'est au début du XXᵉ siècle, alors qu'il a déjà conquis l'Europe, que l'Art nouveau pénètre en Toscane. De ce style, que les Italiens appellent style Liberty, Galileo Chini est sans doute un des plus grands représentants. Artiste aux multiples facettes, il a dessiné et produit des céramiques, peint des toiles et des fresques murales, réalisé les décors d'œuvres célèbres, exécuté des vitraux superbes. Il est présent dans toutes les villes de Toscane. À Viareggio, les établissements qui embellissent la promenade et son atelier, resté inchangé, conservent son souvenir.

La bicyclette est prête pour celui qui voudra profiter d'une longue promenade entre la pinède et la mer, alors que les calmars et les spaghettis attendent l'heureux convive.

À Forte dei Marmi, on peut oublier la voiture et pédaler à l'ombre des pins ; mais il est impossible d'oublier les spaghettis aux calmars de Lorenzo. Ici, la cuisine devient un art. Lorenzo Viani, qui est le petit-fils du peintre et écrivain du même nom, a créé son art en cuisine : service, raffinement et goût dans un équilibre parfait. Deux fois par jour, Lorenzo choisit personnellement le poisson, et la cuisine propose ce qu'offrent la mer et le marché. La qualité, la fraîcheur et une cave de vins prestigieux, italiens et étrangers, sont la fierté de ce restaurateur qui est aujourd'hui devenu un mythe.

La côte méridionale de la Toscane, celle qui se trouve face à l'archipel, conserve une vie bien à elle durant la période estivale. Une vie de campagne et de mer, noble et raffinée, où l'isolement et la retenue de chacun l'emportent sur la grande kermesse qui, de juin à septembre, caractérise la côte de la Versilia et des Alpes apuanes. Les journées de juin bénéficient de la plus longue période de clarté et de calme lumière. L'apogée de l'été coïncide avec la fête et les feux de la Saint-Jean-Baptiste, patron de Florence.

Nous avons devant nous trois mois de lumière intense et de beau temps, avec les prés qui passent du vert au jaune, les fruits mûrs, le sable chaud des plages, la végétation plus paisible et plus sévère. Dans certaines régions, de grandes étendues de champs de tournesols soulignent, s'il en était besoin, cette chaude saison solaire. Dans les petites îles de l'archipel toscan, vous trouverez une nature âpre et saline, avec des essences d'arbres rudes, adaptées au vent salé et au soleil plus doux, à l'azur transparent de la mer et aux petites criques, plus secrètes et plus intimes. L'été en Toscane, c'est aussi un événement retentissant, haut en couleurs, qui est soigneusement préparé durant toute l'année mais dont le moment fort ne dure que quelques minutes : le Palio de Sienne. Une course de chevaux, montés à cru par des cavaliers téméraires et bagarreurs, dans un effort qui les porte au maximum de la tension et de l'animosité. La course, qui se déroule le 2 juillet et le 16 août, a lieu au coucher du soleil, après trois longues journées de cortèges colorés et d'émotions.

Toute la préparation, l'attente, les espoirs sont brûlés dans les quelques instants où les chevaux rapides, sur le tuf de la piste, achèvent les trois tours dangereux de la piazza del Campo. Il est difficile de ne pas se sentir Siennois à cette occasion. Les villes anciennes de Toscane construites dans les zones des tufs, comme Pitigliano, Sovana, Sorano, offrent des joyaux artistiques inattendus et cachés, qui perpétuent le charme des décors un peu désuets. C'est une Toscane différente, déjà gagnée par les couleurs plus claires du Latium et située au cœur du pays étrusque, qui réunit, dans toute son étendue, les deux régions. Cette Toscane plus tranquille et plus secrète, vous pouvez encore la découvrir de façon différente, au long d'itinéraires où alternent nature et culture, et en partant à la découverte d'une autre cuisine qui présente — comme la Toscane — une infinité de nuances, de visages et de saveurs.

été...

Juin : parfums, couleurs et saveurs de l'île du Giglio

Le bateau attend d'accoster dans la petite crique naturelle du Pardini, un hôtel de luxe accessible seulement par la mer. Sur le bord de la fenêtre d'une maison de l'île, des fleurs simples, aux couleurs vives, entourent une plante grasse.

La légende rapporte que, le collier de Vénus s'étant brisé, sept perles tombèrent dans la mer et se transformèrent en îles : ainsi naquirent les Sept Sœurs de l'archipel toscan. Depuis les siècles les plus reculés, ces joyaux ont suscité toutes les convoitises. Leur histoire commença il y a trois mille ans, quand les Grecs en exploitèrent les gisements de minerais. Tombées aux mains des Étrusques, les îles passèrent ensuite aux Romains, qui y construisirent de luxueuses villas pour leurs moments de loisirs. Génois, Pisans, Turcs, Sarrasins, Espagnols et Anglais s'en emparèrent tour à tour ; des nations, des nobles et des papes les achetèrent et les revendirent, avant qu'elles ne soient finalement toutes rattachées à la Toscane. Parmi elles, j'ai choisi l'île du Giglio pour les émotions qu'elle peut encore offrir à ceux qui cherchent la paix la plus absolue. Si les vacances se passent ici à l'écart de tout, elles ne sont pas pour autant solitaires ; les promenades en mer alternent avec les parcours sur les sentiers et parmi les maisons colorées, et avec les haltes sur la piazza del Castello, petite et intime.

Le phare est rouge brique comme certaines gares d'autrefois. Grâce à lui, les navires, qui sont les trains de la mer, ne se trompent pas d'itinéraire.

D'un côté, près du phare de Capel Rosso, à l'extrême pointe méridionale de l'île, une figure solitaire est en train de pêcher : c'est le gardien qui vit ici avec sa femme. Comme passe-temps, une canne à pêche, les oiseaux qui passent et le bruit des vagues ; comme amis, une petite chèvre, un âne et les mouettes. Pendant ce temps, un insulaire tresse un panier d'osier, assis sur la pierre d'une ruelle ; de temps en temps, un coup d'œil pour observer le va-et-vient qui anime Giglio Castello. Deux figures solitaires et deux métiers anciens.

Les décorations étoilées font d'un plat simple un tableau animé et original. Quant aux moules, elles sont aussi disposées en étoile, dans une petite coquille rustique de pâte.

Il faut monter jusqu'au bourg de Giglio Castello pour trouver, dans un labyrinthe de ruelles et d'escaliers, le restaurant Da Maria, qui est aujourd'hui une institution. Une cuisine de mer et de terre, un peuple plus paysan que pêcheur. Ne dit-on pas « mieux vaut chercher les calmars près de la terre et mieux encore chercher les champignons sur la colline… » Les raviolis sont couverts de sauce : on dirait qu'ils se sont battus en duel avec des seiches et des calmars qui ont craché, pour se défendre, leur liquide noir sur leurs adversaires. Quant aux anchois, ils se sont transformés en romantiques étoiles d'argent.

Sur la grande table ronde, les personnages de terre cuite passent le temps à jouer aux cartes, autour d'une petite table de jeu carrée. À bien y regarder, les gestes et les physionomies sont ceux des gens d'ici.

Des mineurs, des paysans, des marins. Comme disent les insulaires dans un jargon presque livournien : « hommes de la veine, hommes de la terre, hommes de la mer ». Aujourd'hui au repos, ils jouent aux cartes. C'est ainsi que les voit Giovanni, qui s'amuse à reproduire en terre cuite les situations, les objets et les images quotidiennes et familières de son île. Au début de la saison, l'amphithéâtre coloré de Giglio Porto n'est pas encore envahi par la foule. Les clients ne sont pas nombreux : on a le temps de rester devant sa porte pour observer les bateaux qui arrivent ou le ferry qui s'en va, ou pour saluer une amie qui passe.

Objets marins,
coquillages, tout à
bon prix. Le linge
qui pend souligne
la simplicité d'une
vie quotidienne
ouverte sur la mer.

L'été s'annonce, mais sur l'île du Giglio, la vie
quotidienne des familles se poursuit tranquillement.
Pour imiter les grands, les enfants ont préparé leur
petit magasin dans la rue et passent en revue la
marchandise, alors qu'un plus petit, à l'écart, les
regarde avec un air un peu triste. On dirait qu'ils
répètent leur rôle avant d'affronter la foule des
touristes, qui viendront bientôt animer, pendant
quelques mois, le décor tranquille de l'île. Le port
sera comme un salon à ciel ouvert, entouré par
les pastels de ses maisons multicolores, et le temps
des invasions et de Barberousse ne sera plus
qu'une histoire lointaine.

*Des zestes
de citron vert
reproduisent
la forme arquée
du poisson frit.
Et les pâtes
trouvent mille
façons différentes
de se présenter.*

À Porto Santo Stefano, l'histoire du restaurant
Il Veliero est celle d'une famille nombreuse. La
passion de Diva pour la cuisine s'est emparée de
ses nombreux enfants : Vincenzo et Enza ont choisi
les fourneaux, et les autres, la salle. Quant au père,
Antonio, qui exerce depuis toujours le métier de
pêcheur, il rapporte tous les jours le poisson. On
dirait d'ailleurs que la friture est passée directement
de la mer à l'assiette et que le beau crabe Margherita
vient de sortir des filets : avec sa grande pince,
il semble nous inviter à déguster les succulentes
fettucine, dont il relève le goût de sa chair savoureuse.

Juillet : la passion du Palio et les silences de ses terres

La cloche de la tour du Mangia appelle les Siennois à la course du Palio. Un arc marque le passage entre la place du Dôme et le centre de la ville.

Il était une fois un carillonneur qui s'appelait Giovanni di Duccio. Parce qu'il était dépensier, il fut surnommé Mangiaguadagni (Mange-Gains). La tour du Mangia en a hérité le nom. Aujourd'hui, c'est un jaquemart qui frappe les heures, et la grande cloche, du haut de cette tour imposante et élancée, domine encore le cercle magique de la piazza del Campo. Les familles nobles rivalisèrent dans la construction de ces tours : il y en eut plus d'une centaine, mais les conflits entre les familles et l'invasion espagnole, au XVIIᵉ siècle, causèrent leur destruction.

Le Campo, qui est l'âme de Sienne, est une des plus belles places du monde. Pour les Siennois, cette splendide coquille est le cœur de leur ville, le salon où l'on parle, l'amphithéâtre de leurs jeux et de leurs passions, le territoire neutre qui appartient à tout le monde et à personne, où les fêtes et les compétitions se succèdent depuis les temps les plus reculés. Deux fois par an, le Palio la remplit d'une foule en délire ; le son de la grosse cloche se mêle alors aux chants de défi, au bruit des sabots et à celui des pétards.

Les gonfaloniers et
les tambours répètent
leurs numéros de
lancer d'étendards.
C'est la veille du
Palio : paré de ses
couleurs, le jaune,
le rouge et le bleu,
le quartier de
l'Escargot se prépare
pour le grand
repas du soir.

À Sienne, l'air du Palio se respire partout et durant
toute l'année. Mais aujourd'hui, c'est la veille de la
course, et l'air est rempli de sons, de chants et de
couleurs : la respiration s'est fait attente, émotion,
défi. Un peu partout, les jongleurs de drapeaux du
cortège historique répètent leur numéro, alors que
les rues et les ruelles sont envahies par de longues
et interminables tables. Chaque quartier les orne
de ses couleurs : bientôt, les repas, les discussions
et les espoirs se succéderont jusqu'à la nuit
profonde, dans l'attente de la victoire tant espérée.

Les habitants du quartier passent une graisse spéciale sur les sabots de leur champion. D'illustres invités apparaissent aux fenêtres des palais nobiliaires : des souverains, des chefs d'État, des vedettes de cinéma, tous accourus pour le Palio.

Par petits groupes, les habitants du quartier assistent aux derniers préparatifs du cheval qui, pendant quatre jours, a fait l'objet des soins attentifs du « Barbaresque ». Ainsi est appelé l'homme, tiré au sort, auquel le cheval a été confié. Bientôt, il sera béni, en même temps que le cavalier, dans l'oratoire du quartier. Les balcons qui donnent sur la scène grandiose de la piazza del Campo sont ouverts pour le spectacle tant attendu, et dans quelques minutes se répétera ce miracle si violent et si fascinant qui, à Sienne, transforme un jeu en rêve et une victoire en délire.

*À la chartreuse
de Maggiano,
l'hôtel a su garder
le charme initial
des lieux.
Les arcades
conservent le
souvenir de figures
silencieuses, en
prière.*

Jadis, des moines en prière se déplaçaient en silence
sous les arcades ; aujourd'hui, derrière l'écran des
rideaux blancs et des géraniums rouges, ce sont des
garçons silencieux qui prennent soin des clients
allongés au bord de la piscine. Nous sommes sur la
colline, près de Sienne, juste après la Porta romana,
à la chartreuse de Maggiano, une des chartreuses
les plus importantes de la Toscane du XIVe siècle.
Endommagée et occupée pendant la guerre, puis
restaurée peu à peu, elle abrite aujourd'hui un hôtel
plein de charme, tenu avec amour par Margherita,
l'une des filles des propriétaires.

L'ensemble des desserts, l'assortiment de légumes farcis et les raviolis aux fleurs de courge composent un riche échantillon. Loin des canons habituels de la cuisine hôtelière, celle de Maggiano conserve la simplicité et les saveurs de la cuisine familiale.

*Dominant
la colline,
le campanile et
la tour de la mairie
sont les symboles
des deux autorités,
l'Église et la
commune, qui, jadis,
se partageaient
le pouvoir.*

Comme la plupart des villages toscans, San Casciano dei Bagni est perché sur une colline et surplombe des étendues dorées de blé qui rappellent les Crete siennoises, situées non loin de là. C'est une des nombreuses stations thermales dont la Toscane est si riche, un village discret, à l'écart des circuits habituels, où jaillissent des eaux chaudes et bienfaisantes, connues par les auteurs latins sous le nom de Balnea Clusina. Des villageois et de rares clients sont installés sur la place tranquille qui domine la vallée : on a l'impression de se trouver à l'écart du monde, comme si le temps s'était arrêté. Le Bar Centrale offre non seulement de quoi se désaltérer, mais propose aussi la cuisine familiale d'Adolfo, authentique et délicieuse.

La truffe parfumée sur des gnochetti verts est en parfaite harmonie chromatique avec la pierre sur laquelle, non par hasard, l'assiette a été posée.

Des crostini du pays aux multiples saveurs et des gnochetti verts, accompagnés de la savoureuse truffe noire. Nous sommes à la limite de la province de Sienne, et ceci n'est qu'un des nombreux visages variés de la cuisine et du paysage toscan, marqué ici par la proximité de l'Ombrie et du Latium. Comme dans ces deux provinces, les truffes noires sont une ressource locale et se retrouvent dans un grand nombre de plats quotidiens ; les saveurs, qui sont plus rustiques, plus fortes, ressemblent aux habitants qui nous accueillent avec une familiarité un peu bourrue et réservée, mais pleine de chaleur. Ici, c'est la simplicité de la relation qui unit l'homme à l'environnement et qui séduit le visiteur.

À San Galgano, l'architecture est contenue entre deux couleurs, le vert et le bleu. L'herbe est un pavement naturel, alors que la silhouette élancée des arcades gothiques se prolonge vers le toit du ciel.

On dit qu'un jour, saint Michel prit le cheval de Galgano Guidotti par les rênes pour l'emmener au sommet d'une colline, où ce noble toscan renonça aux armes en enfonçant son épée dans un rocher. Galgano, qui vécut ici comme un ermite, mourut à 33 ans, devant la croix formée par la garde de son épée. Sur cette colline et autour de ce rocher se dresse une petite église blanche et rouge, où la terre cuite alterne avec la pierre en bandes circulaires. À ses pieds, l'abbatiale construite en l'honneur de Galgano est complètement abandonnée, mais le charme qui s'en dégage est intact.

Août : un monde préservé, parmi les mystères des Étrusques

La Cala di Forno est un coin de mer enfoncé dans la verdure. Le maquis du parc vient lécher les récifs, et cette contiguïté avec la mer l'enrichit de bleu.

Une grille, quelques mètres, et déjà de petits groupes de sangliers trottinent paisiblement près de la voiture, alors qu'un faon, plus timide, se cache derrière un buisson. La route encaissée monte à travers le maquis méditerranéen, où dominent le genévrier, le lentisque, les arbousiers, les genêts, le romarin, les pins, les oliviers et les chênes verts. Au sommet, le monde semble se renverser, et contre l'horizon, le maquis devient une mer moitié verte, moitié bleue. Soudain, la vue s'ouvre sur des champs couverts de fleurs et, au fond, une vieille maison donne sur la splendide plage de la Cala di Forno.

Dans le parc de l'Uccellina, il n'y a pas d'autres maisons, mais seulement de vieilles tours construites pour se protéger contre les pirates et les envahisseurs. Chacune a son histoire, et la tour de la Bella Marsilia est peut-être la plus originale. Après avoir massacré la famille Marsili durant l'une de ses incursions, le pirate Barberousse ravit la belle Margherita aux cheveux cuivrés et aux yeux violets, puis la vendit au grand Soliman. Devenue la favorite du sultan, elle réussit à tuer son héritier pour faire monter sur le trône un de ses fils, accomplissant ainsi sa vengeance.

Au milieu de la campagne cultivée apparaît la tache blanche des cascades sulfureuses. Autour des thermes, le calcaire blanc contraste, lui aussi, avec la végétation.

C'est en passant de la côte à l'arrière-pays qu'apparaît le visage secret de la Maremme. Les bourgs médiévaux, qui semblent encore plongés dans le mystérieux silence du peuple étrusque, surgissent de la verdure comme de grandes sculptures, creusées dans des éperons de tuf aux formes évocatrices. Ce sont des grottes, des abris, des tombes et des routes aux parois élevées qui modèlent le « paysage des tufs », alors que l'eau façonne campagne et vallées. À Saturnia, les cascades du Moulin, avec le jet violent de leurs eaux sulfureuses, ont creusé dans la pierre des bassins de calcaire blanc ; dans d'épaisses vapeurs, ces bains chauds sont accessibles à tous depuis les temps les plus reculés.

Ce coin sévère et reculé de Toscane conserve les nombreuses traces d'un passé agité qui, au cours des siècles, vit se succéder de puissantes familles.

Retranché derrière ses vieux murs, Sorano s'agrippe à son rocher de tuf, comme s'il craignait de rouler dans les vallées qui l'entourent. Maisons tours caractéristiques, ruelles médiévales, caves fraîches et profondes grimpent jusqu'à la forteresse qui, d'après une description du XVIe siècle, « la surplombe comme un faucon ». Les Orsini, les Médicis, les Lorraine la dominèrent : dans son dédale de ruelles, le village conserve de nobles palais, des portails à bossages, des arcades et des loggias néoclassiques. Le long escalier qui conduit à la forteresse invite à pénétrer dans un monde lointain de lumière et de silence.

Le long des routes du tuf, un potier travaille en plein air. Les vases de terre cuite attendent le moment de la cuisson.

Dans le vallon étroit qui relie Sorano à Pitigliano, se succèdent des grottes et des columbariums, creusés dans la haute paroi. Assis presque au bord de la route, devant le fond obscur d'une grotte, un homme façonne l'argile ; il ressemble plus à un agriculteur qu'à un artiste, et seul son vêtement le situe dans le présent. Des milliers d'années sont passées depuis que les premiers habitants se servirent des grottes pour y habiter et pour y travailler, mais les siècles les ont laissées inchangées. Même la poussière est restée immobile, et la vaisselle, elle aussi, est toujours la même : entassées à l'entrée du four, les terres cuites semblent prêtes pour être déposées dans une tombe étrusque.

Cette statue de la Vierge, qui fait l'objet d'une grande vénération, est une œuvre récente. À l'opposé, la fresque représentant la Vierge trônant entre deux saints témoigne dans toute sa puissance de l'ancienne dévotion.

Montemerano se détache sur une colline couverte d'oliviers ; tout autour, ce n'est plus la couleur sombre du tuf, mais le vert pur de douces collines. Dans la petite église de San Giorgio, construite au XIVe siècle, la lumière tremblante des bougies éclaire une Annonciation de l'école du Sassetta. Connue sous le nom curieux de « laisser passer son chat ». Madone de la chatière, elle fut peinte sur ce qui était jadis la porte du grenier, où le curé avait percé une ouverture pour laisser passer son chat.

. A · D · MCCCC · VIII · DI · XX · D.....

·S· B.b.... ·S· lucia

...... uele figliuol affatte fare giouanni de ualentino p suo pacre ~

Autrefois, Carisio tenait à Montemerano un bar-restaurant, où sa femme Angela s'occupait de la cuisine. Les habitants du village l'avaient surnommé Caino, et c'est ainsi que s'appelle maintenant ce petit restaurant raffiné. Aujourd'hui, il est tenu par son fils Maurice et par sa belle-fille Valeria qui, pendant des années, a cuisiné aux côtés de Sant'Angela, comme elle appelait affectueusement sa belle-mère, en mettant à profit ses recettes. Valeria fait partie de la sélection « Jeunes Restaurateurs d'Europe », et dans ses plats, le juste équilibre entre tradition et nouveauté rend différents les habituels crostini toscans et divins les simples légumes confits dans l'huile. Les produits suivent les saisons, mais son imagination prête aux plats traditionnels des nuances authentiques et, en même temps, des saveurs plus inédites et plus raffinées.

*Une collection
de vieux plats de
céramique blanche
décore la salle à
manger. C'est là
que sont servis les
gnocchis aux orties,
avec beurre, sauge et
parmesan, ainsi que
les crostini et les
légumes confits dans
l'huile de fabrication
maison.*

*Chez Laudomia,
une entrée de ravioli,
ricotta et épinards,
accompagnée d'un
plat de roquette
au parmesan.
La simplicité de la
préparation en exalte
le goût. Le vin blanc
des collines de la
région de Grosseto
est le plus renommé
de Toscane. Il faut
le boire frais.*

En Toscane, l'automne est un doux prolongement de l'été ; c'est le temps des fêtes de village, remontant à d'antiques traditions, où l'on célèbre les produits locaux : les châtaignes, les noix, le pecorino, les champignons, les truffes et en particulier le raisin, qui, en période de vendange, offre de grandes occasions de fête. Les marchés d'antiquités se tiennent encore en plein air, et des villes comme Arezzo et Cortona leur semblent particulièrement prédestinées. De larges espaces publics sont réservés aux antiquaires, et généralement, comme ils sont en pente, on peut saisir d'un seul coup d'œil les vastes espaces d'exposition. Et la richesse de l'offre est telle qu'il n'est pas difficile de tomber sur quelque objet original, parfois même précieux, à un prix engageant. L'automne permet des parcours originaux, y compris à cheval, dans de nombreuses régions, comme la Maremme ou le Chianti, et surtout, dans l'extraordinaire territoire, moins connu, au nord-est d'Arezzo, où naquit et travailla Piero della Francesca et qui constitue souvent la toile de fond de ses tableaux. Une terre ondulée de collines, où alternent, sur de grands espaces ouverts, des maquis boisés et des cultures intensives. C'est là que nous rencontrons des ensembles urbains de fondation ancienne, que le temps n'a guère modifiés : à Anghiari, à Sansepolcro et dans tant d'autres localités, la vie se déroule encore dans le cadre de toujours, offrant à qui y habite une permanence d'habitudes et de manières d'être qui, dans les grandes villes, s'est aujourd'hui perdue. Dans le Chianti, l'ancienne organisation du territoire survit aussi à travers le paysage, malgré l'introduction de cultures spécialisées et la terre arrachée aux forêts, où l'olivier et la vigne marquent harmonieusement ses collines.

Même les cyprès ont été plantés de façon moins arbitraire qu'il n'y paraît ; la transformation de l'espace est encore respectueuse de l'équilibre naturel d'une région à la fois agricole et paysagère. Durant cette saison, où les fruits de la vigne et de l'olivier invitent à parcourir ces lieux fortement typés, leur beauté équilibrée étonnera. Enfin, l'automne se caractérise aussi par une gastronomie qui met à profit les produits de saison : gibier, champignons, truffes sont des ingrédients très utilisés dans des préparations succulentes. Sur les collines, l'éclat des rouges et des jaunes atténue la mélancolie des journées plus courtes et plus froides. *automne...*

Septembre : une occasion pour les passionnés d'antiquités

Dans le centre ancien, la succession des toits et des fenêtres se poursuit jusqu'au pied de la colline boisée. Sur des chapiteaux anthropomorphes, des visages de pierre trahissent l'usure du temps.

Construits par les Étrusques et accrochés aux flancs du mont Sant'Egidio, des murs cyclopéens entourent encore Cortona, une ville à l'histoire infinie et aux surnoms les plus variées : reine d'Étrurie, grand-mère de Rome, mère de Troie, mythique Corythus… Superbes édifices et nobles palais témoignent de ses origines prestigieuses ; partout affleure le mystère des Étrusques ; des rues en pente, des ruelles et des arcs tissent le centre historique où les blasons, sculptés sur les murs de pierre, racontent un passé splendide.

Patrie de poètes, de peintres et de sculpteurs qui ont enrichi le déjà riche patrimoine artistique de la Toscane, l'étrusque Cortona est aussi célèbre pour son exposition traditionnelle d'antiquités, qui se tient à la fin du mois d'août et au début du mois de septembre. Alors que, durant l'année, la vie s'écoule lentement dans une atmosphère presque enchantée, à l'image du paysage qui l'entoure, un bain de foule sort la ville de sa torpeur, et les ruelles, les places et les rues ne sont plus qu'un seul grand marché.

*Les jeunes vendeurs,
alignés les uns
derrière les autres,
attendent les premiers
clients. Dans l'espoir
d'être acquise, une
statuette vénitienne
signale sa présence
en hélant le passant.*

Le premier week-end de chaque mois, Arezzo
accueille le grand marché d'antiquités. Le cœur de
la manifestation est la Piazza Grande, ce théâtre
naturel dont les coulisses sont formées par les loges
de Vasari, par les superbes palais et par les galeries
de l'église Santa Maria, majestueuse et solennelle.
Les éventaires se répandent dans les rues qui
montent et qui descendent, et envahissent l'austère
centre historique de la ville. À l'affût de la bonne
affaire, collectionneurs et marchands se mêlent
aux particuliers qui se laissent séduire par un petit
objet curieux, tantôt inutile, tantôt précieux.

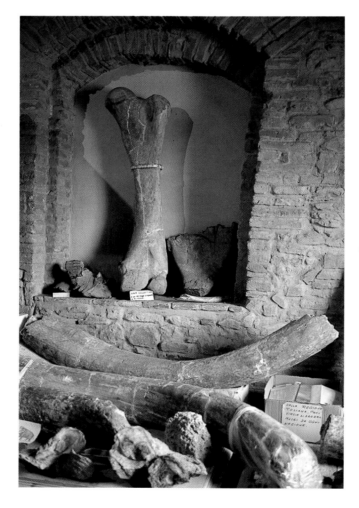

La terre cultivée prend des airs évocateurs. Ici gisent des os d'animaux préhistoriques, aujourd'hui exposés à Farneta. Le grand tibia présente l'aspect rugueux de la terre qui l'a conservé.

Au pied de Cortona, un prêtre travaille sans compter. Don Sante Felici a mis au jour les structures romanes de la superbe abbaye de Farneta. Dans son petit presbytère, il a installé son musée personnel, alors que le Musée paléontologique de Florence accueille Linda, l'éléphante de plus de quatre mètres de haut qu'il a découverte et reconstituée avec passion. Les portes du presbytère sont toujours ouvertes : de la petite loggia, deux yeux vifs observent le visiteur. Parfois, il ne descend pas et jette les clés, lançant d'un ton joyeux et ironique : « Pour allumer, c'est à droite ! ». Puis il vous accueille et vous montre des ossements, des urnes et les restes d'un défunt de l'époque romaine.

À Montefollonico, la Chiusa était une ferme familiale qui est devenue un petit hôtel et un grand restaurant. Tout en respectant le vieux bâtiment, Dania et Umberto Lucherini ont aménagé de petits appartements et installé dans le pressoir des chambres pleines de charme. Notaire, Dania aurait dû rédiger des contrats et des procurations : aujourd'hui, elle compose, avec les légumes frais de son potager, des plats originaux et savoureux. D'une rare élégance, elle se déplace avec aisance entre les fourneaux pour concevoir, avec des produits qui suivent le rythme des saisons, des menus toujours renouvelés. Dans la salle, Umberto est un amphitryon parfait et charmant, qui accueille ses fidèles clients avec chaleur et professionnalisme.

Les célèbres pici,
parsemés de persil,
sont un plat très
répandu dans la
région. À droite, ce
n'est pas un buisson
d'automne, mais
un pain de café au
sucre caramélisé.

Octobre : truffes et champignons au pays de Piero della Francesca

Au petit matin, le sourire de la boulangère accompagne l'offre des biscuits aux amandes, à peine sortis du four. Dans le manège de Roberta, le cheval attend le touriste pour galoper à travers le pays de Piero della Francesca.

Miraculeusement épargnée par la frénésie du tourisme de masse, Sansepolcro s'étend dans le décor préservé et varié de la haute vallée du Tibre. La vallée est large, plate, et le fleuve la rend fertile et opulente ; les bourgs médiévaux n'apparaissent qu'au loin, et sur les hauteurs, des bois de chênes et de châtaigniers forment une épaisse couronne de verdure. La légende rapporte que deux pèlerins, Arcano et Egidio, un Grec et un Espagnol qui rentraient de Terre sainte, s'arrêtèrent pour se reposer non loin des sources du Tibre ;

attirés par la fertilité du sol et par la douceur du climat, ils décidèrent d'y déposer les reliques rapportées du sépulcre du Christ à Jérusalem. Après avoir achevé leur voyage à Rome, ils revinrent et construisirent dans cette vallée une petite église qui devint bientôt, grâce à ses reliques, un lieu de pèlerinage ; autour d'elle, se forma un bourg qui prit le nom de Sansepolcro. Piero della Francesca est né, a vécu, est mort ici, et, dans les environs, on peut admirer quelques-unes de ses plus belles œuvres.

Les chênes et les châtaigniers de ces bois donnent à la truffe un parfum et une saveur particuliers. Les draps et les couvertures retombent avec élégance sur le rose de la façade. Sous les contreforts courbes, un passant matinal vient animer l'image.

Octobre offre des produits plus riches, plus rustiques, que seule mère nature peut nous donner. Ni serres, ni cultures forcées : rien que des bois, des champs et des troupeaux en liberté sur les collines. Sant'Angelo, un village où le parler est déjà passé du toscan à l'ombrien, célèbre la fête de ses délices : les ruelles étroites et sombres sont transformées en marché, car chacun expose sa production devant sa maison. De vieux villageois, le visage brûlé par le soleil, sont assis fièrement à côté de leur précieuse récolte de truffes et de champignons, et offrent avec la même fierté de petites pommes presque sauvages, des noisettes à peine cueillies, de simples olives, d'humbles châtaignes.

Les produits de la région sont présentés et vendus en plein air. Leur aspect révèle la terre qui les produit. Sur le papier jaune d'épicerie, lourd et rugueux, les truffes sont regroupées par dimensions en différents lots.

L'un est raffiné,
l'autre rustique;
deux goûts
différents pour un
résultat identique:
la qualité.

À la sortie de Sansepolcro, une maison, quelques
chambres intimes et chaudes, deux salles paisibles,
remplies d'objets familiers : c'est presque une
étape obligée de cet itinéraire. L'Oroscopo est le
refuge de Paola et de Marco, deux jeunes gens qui,
en parcourant le monde et en travaillant sous la
conduite de chefs illustres, se sont dotés d'une
expérience enviable. De simples haricots verts et
d'un pauvre chou, ils font une timbale raffinée, un
« ton sur ton » à déguster avec les yeux. Au Violino,
les champignons sont ceux que la grand-mère
cuisinait au village, et le plat à rôti est le même.

Novembre : le chianti, le brunello et les saveurs de la ferme

La villa s'est développée autour d'une demeure médiévale, pourvue de tours. Peut-être le beau bassin conserve-t-il le souvenir du grand navigateur, en train de jouer avec de petites caravelles.

Quand on pense aux grands navigateurs qui traversèrent les océans pour découvrir des terres lointaines et inconnues, on les imagine plus proches du bleu de la mer, le regard perdu sur des horizons lointains, qu'immergés entre l'argent des oliviers, sur des collines tapissées de vignes, au milieu du vert sombre des bois de châtaigniers. C'est pourtant dans un château situé non loin de Greve que naquit, en 1485, Giovanni da Verrazzano : le grand bassin du parc familial fut la mer où il cultiva la passion qui l'amènerait à découvrir, bien loin de là, la baie de New York. Ce château, qui

était davantage une villa, est aujourd'hui une belle demeure privée. Le domaine est devenu une entreprise qui produit des vins excellents : ses belles caves anciennes sont ouvertes aux visites, qui se terminent par des casse-croûte ou par des repas à base de produits naturels de la ferme. Tout autour, la campagne du Chianti se déploie dans toute sa beauté. Son vin et sa terre sont réputés depuis des siècles : pour sauvegarder un produit et un territoire qui, depuis toujours, représente le cœur de la Toscane, la Ligue du Chianti fut fondée dès le XIIIe siècle.

*À Passignano,
les vignes s'étendent
sur les coteaux ;
derrière l'église,
un cloître,
des jardins et,
dans le réfectoire,
une Cène peinte
par Ghirlandaio.*

Alors que le paysage commence à se teinter d'automne,
un des trésors du Chianti, entouré par des touffes
de cyprès, apparaît derrière l'étendue des vignes.
L'histoire merveilleuse de saint Giovanni Gualberto,
fondateur de l'abbaye de Passignano, commença par
un geste de pitié et de pardon. En 1028, alors qu'il se
promenait dans Florence, le noble chevalier florentin
rencontra l'assassin de son frère et, après lui avoir
pardonné, il se fit moine. Au terme d'une existence
riche en prodiges et inspiratrice de légendes, il se
retira ici pour mourir sur sa terre, parmi les moines
de l'ordre qu'il avait créé.

Une rangée de chaises improvisées protège les raisins, qui, pareils à de grandes draperies, sont accrochés au plafond dans l'attente de leur flétrissement. Quant aux fûts, des siphons en verre coloré permettent d'en contrôler le contenu.

Le bon Vinsanto toscan est un des produits du Chianti. Les grappes dorées, accrochées à de longs bâtons, devront rester ainsi presque jusqu'à Noël, et quand elles seront flétries, elles passeront dans les vieux fûts pour y rester au moins cinq ans. Autrefois, les fûts étaient cimentés et disposés dans les greniers : le chaud et le froid des combles faisaient partie des méthodes anciennes. À cette époque, la qualité du vinsanto était toujours une surprise ; aujourd'hui, de curieux alambics permettent de le surveiller et de le corriger durant son long parcours.

Le Vinsanto est un des vins les plus raffinés, issu de raisins desséchés. Et le vinaigre aromatique, mis en bouteille comme un parfum, est un moût de vin qui a parfois vieilli une trentaine d'années. Qu'importe le temps : seule compte l'excellence du produit.

Giovanni Cappelli, Minuccio pour les amis, est le grand maître du Vinsanto, fruit d'un art transmis de père en fils. Dans le domaine de Montagliari, à Panzano, propriété de famille depuis plus de trois cents ans, se trouve une des plus vieilles caves du Chianti, qui peut être considérée comme un véritable musée. De longues rangées de fûts conservent des récoltes anciennes de ce liquide ambré, chefs-d'œuvre de collection. La fabrication d'un vinaigre aromatique toscan est l'autre passion de Minuccio : un moût de vin choisi, conservé dans des tonnelets de bois précieux, toujours différents.

La cueillette des olives, d'arbre en arbre, est longue et délicate. Dans une symphonie de couleurs, du vert pâle au violet, le filet les recueille et en adoucit la chute.

Les vignes commencent à perdre leurs feuilles qui, de l'ocre, sont passées à un jaune doré. C'est alors que débute la récolte des olives qui, de vertes, sont devenues violettes. Même dépouillés de leurs fruits, les oliviers continuent à peindre d'argent le paysage, dont la beauté est à la hauteur de la qualité de son huile. Une échelle, des mains expertes et patientes, un filet qui se déplace d'arbre en arbre et, plus tard, une meule de pierre qui réduira tout en une pulpe douce… L'eau lavera et laissera affleurer l'épais liquide qui, filtré, donnera une huile opaque et parfumée ; pour devenir transparente, elle devra reposer dans la pénombre d'un dépôt de jarres, en compagnie de savoureux jambons.

Une poêle d'aluminium, un feu de charbon de bois, et les poitrines de poulet deviennent l'objet d'une expérience à ne pas manquer, parce qu'unique.

Rien n'a changé dans la vieille trattoria du Sostanza : le vieux comptoir, les carreaux blancs, les tables de marbre et le petit coin de la cuisine sont depuis toujours les mêmes. À Florence, c'est peut-être le seul établissement où tout est resté inchangé. Après la mort du Sostanza, ses collaborateurs ont continué à proposer le menu de toujours, un menu composé de quelques plats connus dans le monde entier. Les fourneaux sont limités et les mains ne sont que deux ; pour alimenter le feu, rien de mieux qu'un simple ventilateur.

En Toscane, l'hiver est relativement doux. C'est une saison en suspens, méditative ; en apparente léthargie, la nature, durant les mois les plus froids, étend un voile d'uniformité et d'immobilité. Mais en voyageant en Toscane au rythme des saisons, nous découvrons même en hiver les traits originaux de son paysage. La sobre élégance de l'architecture rurale et les cultures traditionnelles dessinent de fascinantes géométries. La vigne possède son cycle annuel, du vert des premiers pampres jusqu'au rouge des feuilles d'automne, puis aux sarments dénudés de l'hiver. Toute l'année, l'olivier recouvre de son gris argenté les collines qui, souvent, sont ainsi représentées à l'arrière-plan des tableaux de la Renaissance. Le cyprès, présent presque partout, rend certaines zones semblables en toutes saisons : certes, la lumière change, qui dissipe le brouillard matinal et la couleur pâle et blafarde de la terre ; mais réunis par groupes ou alignés en longues rangées, les cyprès, avec leur vert intense, marquent le décor d'un immuable leitmotiv. De même pour les maquis de pins maritimes dans la Maremme ou les bois de châtaigniers sur les hauteurs, en direction des Apennins. Ailleurs, comme dans les Crete siennoises, au sud de Sienne, la terre qui, durant le reste de l'année, se présente couleur cendre, rugueuse et chauve comme la surface de la lune, est étrangement verdoyante en hiver. Quant aux villes, elles ne sont jamais en léthargie, et les cités historiques, en particulier, ne cessent jamais leur vie d'art et de commerce. À cette période, dans toutes les villes toscanes, petites et grandes, mais surtout à Florence, les expositions, les concerts, les spectacles d'opéra et de théâtre remplissent les affiches. Mais si nous devions privilégier un endroit où vivre pendant l'hiver des expériences uniques et inattendues, nous ne pourrions qu'indiquer les côtes de la Maremme et de la Versilia. Ici, la lumière est celle des peintures des Macchiaioli : elle se réverbère sur les murs des jardins, sur ceux des villas Art nouveau décrépis par le vent du sud-ouest, sur les pins recourbés qui vont jusqu'à la mer. Alors que celle-ci n'est qu'une ligne vaporeuse, la côte, libérée de la foule estivale, est une longue bande de sable, à laquelle le reflet bleuté des Alpes apuanes sert d'arrière-plan. Dans cette courte accalmie, il est possible de saisir le véritable esprit de la Toscane : ceux qui savent le reconnaître le découvrent sous le visage intact, naturel, de cette civilisation qui a rendu la région, au fil du temps, tellement exceptionnelle, riche et forte de sens. *hiver...*

Décembre : à Florence, les achats et les cadeaux de Noël

Silhouette familière et caractéristique, le Ponte Vecchio a été et est encore le cœur palpitant de l'histoire et de la vie de Florence. Comme la figure de proue d'un bateau, un blason des Médicis caractérise un palais florentin, alors que l'étroite ruelle est surmontée d'un des nombreux clochers de la ville.

Des artisans célèbres et cachés, un hôtel de charme, les trattorias des Florentins et quelque musée particulier. C'est à cette période, épargnée par le chaos du tourisme habituel, que je voudrais faire découvrir une Florence qui n'est pas seulement art, histoire et culture, mais aussi un itinéraire magique pour des achats de qualité. Un séjour différent, plus paisible et plus intime, à la découverte d'un artisanat encore vivant et de plus en plus rare, qui est tantôt plaisir des yeux, tantôt plaisir du palais ;

non seulement des rues célèbres du centre historique, mais aussi des rues et des ruelles étroites et actives sur l'autre rive de l'Arno. Et un hôtel tranquille et charmant, avec l'atmosphère chaude et accueillante des vieux meubles d'origine, avec des fenêtres aux formes les plus diverses qui, sous le portique de Brunelleschi, donnent sur la splendide place de la Santissima Annunziata. À chaque coup d'œil jeté sur la place, la petite fenêtre se transforme : elle n'est plus fenêtre, c'est un véritable tableau.

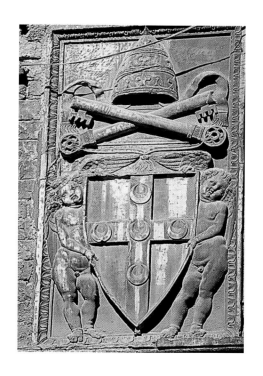

Les détails ordinaires qui se retrouvent un peu partout sur les murs de Florence contrastent avec les élégantes figures des tritons et des néréides qui ornent la fontaine la plus discutée de la ville. Leur créateur, le pieux Bartolomeo Ammannati, fut poursuivi jusqu'à sa mort par le remords de toutes ces nudités.

La vue, l'odorat, le goût : trois sens associés par cette crème de poivrons qui fascine surtout par son chromatisme particulier. Des tonalités diverses de jaune anticipent le délicat amalgame de saveurs.

Fabio Picchi, assisté de son cuisinier, a redécouvert des plats presque disparus des tables, en commençant par celui qui a donné son nom au restaurant : le Cibreo, plat aussi appétissant que populaire dès l'époque de Catherine de Médicis. Sa cuisine est une authentique cuisine locale : les spécialités les plus classiques de la région sont interprétées de manière plus raffinée, mais en restituant à l'identique toutes les saveurs anciennes. Des produits simples et naturels, un peu d'huile toscane crue, qui dégage tout son parfum avec la saveur d'une soupe, tantôt de pain, tantôt de légumes.

C'est bien une officine, et pas une pharmacie, où, dans un décor ouaté et imprégné d'arômes, à peine effleuré par le temps, des mains expertes, guidées par d'antiques expériences, créent des essences, des eaux de Cologne, des liqueurs.

Aussitôt à l'intérieur, le visiteur est assailli par le parfum intense d'essences mystérieuses et de prairies en fleurs. C'est le parfum à la fois subtil et irrésistible du pot-pourri de la pharmacie de Santa Maria Novella, aujourd'hui célèbre dans le monde entier. À Florence, elle est une étape obligée, un endroit où le temps s'est arrêté, qui est parvenu à conserver, non seulement la beauté de son escalier et de ses œuvres d'art, mais aussi la tradition ancienne de la fabrication des essences, des liqueurs et des savons, encore aujourd'hui emballés un par un ; la tradition des vieilles recettes conservées et transmises par les moines de l'antique officine, qui est contiguë aux cloîtres de l'église.

Comme le verre ancien posé sur une table, un vase devient bijou. Comme la danse odoriférante des grains de café, les grappes de pompons colorés ou les boîtes de simples bobines se transforment en merveilles.

Le café de Piansa est encore torréfié de façon artisanale, et dans le quartier d'Oltrarno, la vitrine d'un des nombreux magasins d'antiquités apparaît, elle aussi, artisanale. À Florence, il n'y avait pas de séparation entre l'artisan et l'artiste : Brandimarte fut tantôt l'un, tantôt l'autre. Génial dans sa réinterprétation des œuvres anciennes, il a su conjuguer la créativité avec l'art de reproduire la simplicité des objets quotidiens et familiers. Même s'il nous a quittés, son atelier continue à vivre et à créer.

Sept métiers à tisser travaillent des fils de soie fins comme des cheveux, à la manière ancienne, en reproduisant des motifs Renaissance : c'est une véritable magie. Avec ces objets, le verre devient, lui aussi, une matière éthérée, presque semblable à la soie.

On a l'impression d'entrer dans une maison privée, tapie sous la végétation : l'Antico Setificio Fiorentino, l'Ancienne Soierie florentine, continue aujourd'hui, ici, grâce à la famille d'Emilio Pucci, à fabriquer ses merveilleux tissus. Sur ces soies impalpables, aux tonalités changeantes et infinies, uniques, même la couleur la plus violente conserve sa délicatesse. Toujours à l'écart du centre, voici encore la Moleria de Paola Locchi, qui fit ses débuts en essayant de soulager ses amis des chagrins causés par le service ancien dépareillé, par un verre ébréché ou par une bouteille cassée. Aujourd'hui, elle fabrique et restaure tout objet de verre et de cristal, des plus simples aux plus précieux.

La petite figure ailée, les bras tendus, les ailes déployées, semble presque protéger et empêcher le passage qui conduit au cimetière des Porte Sante, à côté de la splendide église San Miniato. Mais dans la nef, le reflet de lumière n'est qu'une invitation à entrer.

San Miniato al Monte, qui est peut-être la plus belle église de Florence, renvoie à la légende de Miniatus, roi d'Arménie, qui, devenu chrétien, fut soumis aux supplices les plus atroces durant les persécutions de l'empereur Dèce. Couvert de plomb fondu et de poix bouillante, exposé à la férocité des lions, il en sortit indemne. Décapité, il se releva encore et, portant sa tête entre les mains, il traversa le gué de l'Arno et gravit la colline qui, alors, était appelée « Mons Florentinus ». Une fois arrivé, il réunit sa tête à son corps, s'étendit par terre et mourut, indiquant ainsi l'endroit où il désirait être enterré et où fut construite l'église, comme éternel souvenir du prodige.

Janvier : un réveillon insolite dans le vieux couvent...

C'est encore la Toscane, mais la campagne est plus douce, moins âpre. C'est la terre où vécut saint François ; c'est la nature qu'il exalta dans son Cantique des créatures. *Un couvent est un lieu de prière et un refuge pour les voyageurs : dans la Frateria du père Eligio, la tranquillité spirituelle n'empêche pas l'excellence de l'hospitalité.*

En chacun s'exprime le désir grandissant de visiter les lieux de façon intelligente et en s'écartant des circuits habituels. Un itinéraire à travers la Toscane hivernale et romantique est l'occasion de célébrer la nouvelle année de manière différente : voyage de rêve à la découverte des sanctuaires de l'amour, de lieux et d'auberges aux saveurs anciennes. Le couvent de San Francesco est un lieu d'amour, et Cetona une étape inhabituelle ; saint François fit d'une petite chapelle le premier lieu de rencontre de ses disciples et, en 1212, le couvent était fondé. Le père Eligio a fait de ses ruines un lieu de rencontre pour ses jeunes gens ; avec leur aide, il a travaillé, restauré, reconstruit : c'est ainsi qu'est née la frateria. Dans la petite chapelle de San Francesco, à la lisière du bois, la communauté se réunit aujourd'hui autour d'un magnifique Christ, chauve et nu. Et ce refuge extraordinaire abrite aussi une hôtellerie.

Avec ses arcades, le palais Tarugi du Vignole, bien qu'aussi sévère que le palais Contucci de Sangallo, avec sa structure Renaissance, est élégant.

Petite cité étrusque, Montepulciano est devenue, à la Renaissance, une ville noble, réputée pour la qualité de ses vins. Grand poète et humaniste du XVᵉ siècle, Angelo Poliziano est son enfant le plus illustre : sa maison est encore là, non loin de la rue principale qui, bordée de beaux palais, grimpe jusqu'à la place occupant le sommet de la colline. À la Renaissance, Montepulciano accueillit les architectes les plus célèbres de Florence : ce ne fut pas un rendez-vous, mais une compétition et la Piazza Grande fut transformée en un joyau.

*Le cloître à arcades
du couvent de Pienza,
construit sur le modèle
florentin de la résidence
seigneuriale, est
aujourd'hui un
agréable hôtel donnant
sur l'extraordinaire
paysage du Val
d'Orcia.*

L'espace est presque celui d'un cloître, mais il est
magnifié par la géométrie harmonieuse du pavement
de terre cuite et par la beauté théâtrale des édifices.
La lumière claire du travertin éclaire tantôt la façade
de la cathédrale, tantôt les lignes superbes du puits,
pour servir ensuite, en bandes géométriques,
d'encadrement aux fenêtres ou de contraste à la
couleur chaude de la terre cuite. À Pienza, tout
semble conçu pour séduire, des ruelles qui partent
du corso jusqu'à la promenade encadrée de maisons
fleuries dont les murs ne forment plus qu'un long
balcon au-dessus de l'immense vallée verdoyante.

« La ville est comme une grande maison et, à son tour, la maison est une petite ville », écrivait Leon Battista Alberti. À Pienza, Rossellino, qui fut son élève, réussit une composition d'un équilibre et d'un raffinement exceptionnels.

Poète puis prêtre, évêque puis cardinal, et enfin pape sous le nom de Pie II : voilà le parcours d'Enea Silvio Piccolomini, l'incroyable personnage qui, après une fulgurante carrière ecclésiastique, réussit à transformer le petit bourg de Corsignano, son village natal, en cette délicieuse merveille du XVᵉ siècle qu'est Pienza, « la ville de Pie ». La construction de cette ville idéale fut confiée à Rossellino : en un peu plus de trois ans, il réussit à transformer en réalité un projet qui, à cette époque, passait pour une pure utopie.

La façade du palais Pretorio est décorée de blasons qui sont comme des médailles sur la poitrine d'un grand chef de guerre. Les vieilles familles d'Arezzo, patrie de Pétrarque et de Vasari, laissent ainsi sur la façade le sceau de leur participation à la vie de la cité.

Située à l'écart des circuits touristiques habituels, Arezzo vit encore au rythme heureux d'une ville provinciale, conservant les vieilles coutumes de la province. Dans la rue principale, les jeunes et les vieux perpétuent le rite ancien de la promenade de fin de journée : en remontant et en descendant la rue, on échange un regard coquin, un salut respectueux ou bien une plaisanterie tantôt ironique, tantôt impertinente. Mais se promener dans le centre historique d'Arezzo, c'est aussi voyager, de façon surprenante, à travers toutes les architectures, de l'art roman à la Renaissance, du gothique au baroque.

*Pappardelle :
c'est le nom de ces
tagliatelles toscanes
qui doivent être
rigoureusement
faites maison et
découpées en larges
bandes ; c'est ainsi
qu'elles trouvent
le juste équilibre
avec une sauce plus
rustique et plus forte.*

Nous sommes à quelques kilomètres de Sienne, de San Casciano, de Monteriggioni et de Colle Val d'Elsa. Mais ce n'est pas seulement la proximité de ces lieux d'art qui rend agréable l'étape à la villa Belvedere, une villa noble, meublée avec goût et simplicité, comme une demeure de la fin du XIXᵉ siècle : c'est aussi l'accueil et la cuisine. Une cuisine aux solides traditions, avec des recettes et des plats qui suivent le rythme des saisons. C'est la période de la chasse et, en Toscane, le sanglier, le lièvre et le faisan sont chassés depuis des siècles. Le gibier est un morceau de bravoure qui fait partie de la grande tradition cynégétique de cette terre.

Ici, c'est la polenta qui atténue le goût fort de la viande de sanglier, exaltant en même temps le parfum du romarin.

En Toscane, l'emploi des épices et des arômes qui, du lointain Orient, arrivaient sur les tables des riches, est ancien et raffiné. Outre les « odeurs », un terme qui, pour les Toscans, représente presque tous les types d'herbes aromatiques, on utilise aussi pour le gibier des arômes et des épices différents. C'est un autre des si nombreux visages de la cuisine toscane qui passe du simple rôti et de la viande grillée habituelle à des plats plus caractéristiques et plus savoureux : civet, doux et fort, pappardelle et timbales. C'est avec la touche sage et originale d'un arôme et le grand équilibre des ingrédients que le plat le plus simple devient un grand plat, unique, inoubliable.

Toute en briques rouges, Sienne est éclairée d'en haut par le marbre blanc de sa cathédrale. C'est une ville douce et harmonieuse, et le contraste avec Florence est évident. Cette différence se retrouve aussi dans les détails stylistiques de son architecture urbaine, plus fluide, dont les lignes sont plus raffinées et plus paisibles. C'est la patrie naturelle de Simone Martini et de Duccio da Buoninsegna.

Février : les routes du marbre et le carnaval de Viareggio

Des palmiers dressent leur silhouette élancée devant le paysage de la plaine et du lac. La mer ne se voit pas, mais elle est là, elle est toujours là. Le souffle maritime est si ample qu'il se répand à travers toutes les terres voisines, même dans les lieux les plus éloignés, sur les collines et parmi les arbres. La Versilia est terre de mer.

Ce paysage est aussi un paysage toscan. Ici, la lumière hivernale, d'abord noyée dans les brumes de la grande vallée, acquiert une force propre, toute de précision. Les journées d'hiver sont courtes, mais la luminosité est plus nette, moins floue. De l'autre côté du lac, voici la villa de Camporomano, dont le jardin est entouré par les oliviers. Située sur les collines de Massarosa, cette demeure du XVIIIᵉ siècle, qui donne sur le lac de Massaciuccoli, appartient toujours à la même famille.

Madame Orietta et son mari Gianfranco offrent l'hospitalité dans de petits appartements, situés soit dans la ferme aux murs gais, peints de bandes rouges et blanches, soit dans la villa elle-même, avec le charmant appartement appelé « la maison d'Elena ». Au crépuscule, les fenêtres révèlent un panorama enchanteur : pareilles à des sentinelles attentives, les palmiers se détachent sur le paysage du lac ; en bas, une table dressée attend le dîner qui sera partagé avec les propriétaires.

Un lion de marbre, symbole de l'ancienne seigneurie des Médicis, la grâce d'un balcon, l'harmonieuse organisation d'une façade, un buste de Michel-Ange qui apparaît sur un palais : chaque coin de la ville est une petite surprise d'élégance.

Pietrasanta est une jolie petite ville située à l'extrémité septentrionale de la Versilia. Tous les grands sculpteurs d'aujourd'hui ont ici leurs ateliers. L'harmonie de ses palais, le charme de sa place en font un centre historique et artistique, et c'est sur cette place que tout le monde se retrouve : sculpteurs, artisans et clients. Dans l'histoire de l'art, il n'y a pas trace des artisans de Pietrasanta, et pourtant, c'est grâce à leur aide que les artistes célèbres achèvent leurs œuvres ; et au milieu de la poussière, eux-mêmes ressemblent à des statues vivantes. Les uns moulent, les autres sculptent, les autres encore ornent ou habillent : chacun exécute une tâche différente.

Un arceau de verdure, une porte entrouverte, deux rideaux immaculés valent plus, comme invitation à entrer, qu'une enseigne voyante et indiscrète.

Impossible de ne pas parler de Michel-Ange, même si les ateliers artisanaux de Pietrasanta ont accueilli, au fil des siècles, d'autres sculpteurs illustres : Lorenzo Bartolini ou, plus récemment, Henry Moore, Mittoray, Thenner, Botero, Pietro Cascella et tant d'autres. Après la place et les ateliers d'artisans, le promeneur découvre, en plein centre historique, un superbe palais du XVIIe siècle. Magnifiquement restauré, il abrite aujourd'hui un hôtel, mais conserve l'atmosphère d'une résidence privée : une simplicité somptueuse avec les services du grand hôtel. Pour un dîner à L'Enoteca, il suffit de traverser la rue.

Le mimétisme tellement présent dans la nature se reproduit dans certains plats : à un accord de formes et de couleurs correspond un accord d'arômes et de saveurs, sans le moindre écart.

Et que dire de la cuisine ? Ici, on passe des délices des montagnes à ceux de la mer. Et l'on reconnaît l'influence de la Garfagnana, région située à l'est, au-delà des Alpes apuanes. La cuisine de Sci est vraiment une cuisine familiale : peu de plats, peu de tables, de petits prix, une cuisine où la mamma continue à surveiller ce que fabrique son remplaçant. Le restaurant L'Enoteca n'est ouvert que le soir, et de nouveau, c'est une famille qui est aux fourneaux. La passion de Michele pour les vins a obligé ses parents à rester en cuisine. Une cheminée allumée avec le papa, qui s'occupe des grillades, et un fourneau pour la maman qui, avec amour, sert ses plats préférés.

Des plâtres abandonnés sur un banc, un sac fermé par une ficelle. Le classicisme immobile d'un buste de Vénus et la silhouette élancée d'un nu féminin en mouvement. L'enfant noir qui porte la torche est seul, unique survivant d'une composition plus grande.

Située dans une cuvette, entre collines et oliviers, au pied des Alpes apuanes, Carrare a été la capitale du commerce du marbre. On arrive à la carrière des Fantiscritti, la « Cathédrale du marbre », en suivant le tracé de l'ancienne ligne de chemin de fer, au cœur de la montagne. La première fois que je suis arrivée ici, même si on me l'avait décrit, j'ai été émue, impressionnée, intimidée par le caractère grandiose de l'endroit. Des parois lisses, blanches, vertigineuses, et tout en haut, des hommes qui ressemblent à des gnomes, en train de découper la paroi avec un simple fil, comme s'il s'agissait d'un fromage. Le tout est tellement grand, tellement blanc, tellement irréel, qu'il devient inquiétant de rester au cœur d'une montagne, comme s'il s'agissait d'un être vivant, qui veut cacher sa beauté intérieure.

À Fivizzano, le château de la Verrucola, fortifié au temps des Romains, fut plusieurs fois détruit et reconstruit. Au début du XVᵉ siècle, il passa à Niccolò Malaspina, qui fut tué, avec toute sa famille, par des cousins : d'autres Malaspina, naturellement. Seul un enfant, le petit Spinetta, échappa au massacre, et le fief passa sous la protection des Médicis, qui en héritèrent à sa mort. Détruit par un tremblement de terre, le château fut reconstruit, transformé en couvent, puis passa successivement à différents propriétaires. Pour Pietro Cascella et sa femme, ce fut un coup de foudre : ils l'ont restauré avec amour et avec une extrême patience. Ici, le célèbre sculpteur a rassemblé ses travaux et les ébauches de ses œuvres monumentales ; quant à elle, artiste passionnée de terres cuites, elle a disposé ses œuvres comme si elles faisaient partie du mobilier du château.

Les murs sont en
harmonie avec
les vignes, qui se
développent sur deux
sortes de supports :
l'un, le plus grand,
s'appuie contre le mur ;
l'autre, le plus petit,
soutient la vigne basse.
Ce sont des vignes
dénudées, en sommeil.
À l'intérieur, le maître
est en train de
travailler à ses œuvres.

Entourés d'une bordure multicolore, voici les fruits de mer, avec leurs formes naturelles et engageantes, qui sont comme des messages lancés au goût et à l'imagination. La pulpe d'une langoustine, opalescente et délicate, anticipe l'harmonie des saveurs dont elle est imprégnée.

Dans la Versilia, le mot « bain » désigne un établissement balnéaire : la Grande Ourse se trouve dans un de ces bains, où tout est céleste, depuis le mobilier jusqu'aux cabines. La journée, même en hiver, on peut manger au soleil, les pieds dans le sable ; le soir, on peut admirer le halo de la lune, qui se reflète dans l'eau. La cuisine est une cuisine de mer, simple et raffinée. Sur la table, un pain s'ouvre : voici un bar, qui semble vivant parce que ce mode de cuisson n'en altère pas l'aspect. Dans une terrine, l'antique et tendre céréale de la Garfagnana, l'épeautre, est habilement mélangée aux crevettes : une saveur ancienne est complétée par un goût nouveau et exquis.

En bas, une base horizontale, le sable et les planchers de bois, puis le clair-obscur des cabines et les petits balcons symétriques. En haut, la succession des toits des cabines, des cimes des arbres et des profils des montagnes.

Un décor pour un char du carnaval de Viareggio. Un visage grotesque, entouré de faucilles et de marteaux. Que le masque est moderne et comme les faucilles et les marteaux paraissent anciens !

Viareggio s'étend entre deux vastes pinèdes, et c'est un des centres de pêche de la Toscane, qui se distingue, aujourd'hui encore, par la beauté de ses constructions Art nouveau. Un coup d'œil aux ateliers des artisans qui se sont transmis, de père en fils, l'art du carnaval. Des anciennes fabrications lourdes en plâtre armé, ils sont passés aux techniques du carton-pâte : aujourd'hui, ils façonnent comme des sculptures ces figures qui, pendant un mois de l'année, osent ridiculiser et mimer n'importe quel personnage ou événement. Une année vécue dans le travail des colles et du papier journal, plein de charme, mais dont les fruits sont consommés en un mois.

Un sculpteur moderne a façonné cette figure féminine, sortie maintenant de son moule, prête pour la vie, comme un oiseau sorti de son œuf.

Quelle différence y a-t-il entre l'atelier d'un sculpteur, une fonderie et l'entrepôt de l'artisan qui prépare le carnaval de Viareggio ? Bustes de plâtre, pièces de marbre, moules pour la fusion, figures de papier journal : tous attendent de vivre. Pourtant, la vie de ces figures de carton-pâte est éphémère : destinées à ironiser sur les événements de leur époque, elles ne vivront pas plus de quelques jours. À l'opposé, la vie de l'œuvre d'art est éternelle : conservant à jamais la mémoire des personnages et des idées de son temps, elle ira décorer une place publique, donner du lustre à une grande demeure, à un musée.

Recettes et itinéraires au rythme des saisons

SOMMAIRE

Les recettes

Recettes du mois de *mars*

Spaghetti alla Cecco *page 11*

Une bonne bouteille de Gallo Nero Querciabella ne se laissera pas dominer par le goût de l'artichaut. Lavez les artichauts et coupez-les en fines tranches ; pelez les tomates et coupez-les en petits dés. Après avoir pelé et haché l'ail, faites-le revenir dans une poêle avec l'huile et le piment ; ajoutez les artichauts, salez et laissez-les prendre du goût. Ajoutez la tomate et, après une cuisson rapide à feu vif, écrasez-la avec une fourchette, pour obtenir une sauce assez onctueuse. Après avoir fait cuire les spaghettis, en les laissant particulièrement fermes, égouttez-les et ajoutez-les à la sauce. Achevez leur cuisson dans la poêle et servez-les bien chauds en les parsemant de persil.

INGRÉDIENTS *pour 4 personnes : 350 g de spaghettis, 4 artichauts noirs, 4 tomates mûres, 6 gousses d'ail, piment, huile d'olive vierge extra, une grande quantité de persil haché, sel.*

Poulet frit aux artichauts *page 10*

Pour frire, tout le monde utilise aujourd'hui la friteuse et, par conséquent, l'huile végétale. Ici, Francesco, le cuisinier, est jeune, mais il frit à la manière ancienne, « poêle et huile d'olive », et c'est pour cette raison qu'on a l'impression de manger une bonne friture maison. Un Montepulciano Rosso Avignonesi est le vin que la maison conseille. Coupez le poulet en petits morceaux. Lavez et divisez chaque artichaut en 6 quartiers. Battez les œufs avec le jus de citron et le sel, farinez le poulet et passez-le dans les œufs battus, puis faites la même chose avec les artichauts. Faites frire le tout dans une poêle avec une grande quantité d'huile bien chaude. Égouttez bien, salez si nécessaire et servez tout de suite.

INGRÉDIENTS *pour 4 personnes : 600 g de poulet désossé et dépouillé, 4 artichauts noirs, 2 œufs, 1 citron, farine, sel, poivre, huile d'olive.*

Calmars sautés aux tomates et au parfum de basilic

Toutes les recettes du Pandemonio sont placées sous le signe de la simplicité : leur secret réside seulement dans la qualité du produit. Si les calmars sont petits et frais, le résultat est garanti, surtout si vous accompagnez le plat d'un Libaio Antinori, Pinot gris de Toscane. Versez l'huile dans une poêle avec l'ail pressé (ou haché) et le piment. Ajoutez les calmars bien lavés et salez. Faites frire les calmars à feu doux, en veillant à ce que l'ail ne brûle pas. Quand les calmars sont bien dorés, ajoutez les tomates pelées, coupées en petits dés, et beaucoup de basilic. Achevez la cuisson en couvrant la poêle pendant 5 minutes, en veillant à ce que les calmars ne rétrécissent pas trop. Servez-les bien chauds sur les tranches de pain.

INGRÉDIENTS *pour 4 personnes : 500 g de petits calmars, 4 tomates, ail, piment, basilic, huile d'olive vierge extra, sel, 4 tranches de pain grillé.*

Recettes de la trattoria Pandemonio de Florence, via del Leone 50r, tél. 055.224002

Timbale d'orge perlé aux courgettes et aux fleurs de courgette *page 19*

La cuisine de Walter ne présente pas de difficultés particulières, mais l'exécution et la présentation exigent beaucoup d'attention, même de ceux qui ont une grande habitude de la cuisine. Cette recette et les autres qui suivent offrent l'occasion de préparer un dîner complet, délicieux et raffiné, qui surprendra les invités. Un Vernaccia Carato Montenidoli accompagnera parfaitement cette entrée. Dans une sauteuse, faites revenir l'ail dans le beurre, puis faites griller l'orge pendant 2 à 3 minutes. Versez le bouillon de légumes brûlant, salez et laissez cuire pendant 30 minutes environ. Ajoutez l'oignon et les courgettes. Cuisez encore 10 minutes. Incorporez les fleurs coupées, le basilic et le parmesan. Laissez le tout s'amalgamer. Retirez la casserole du feu, ajoutez du sel si nécessaire, puis laissez reposer pendant 15 minutes, en mélangeant de temps en temps. Remplissez des petits moules individuels avec le mélange, puis attendez qu'il durcisse. Renversez délicatement chaque timbale. Recouvrez-les d'une fleur de courgette, puis remettez-les dans leur moule et réchauffez-les au bain-marie. Servez avec une salade de courgettes crues et des tomates fraîches coupées en petits dés, assaisonnées avec de l'huile d'olive.

INGRÉDIENTS *pour 6 personnes : 150 g d'orge perlé, bouillon de légumes, 4 courgettes coupées en petits dés, 6 fleurs de courgettes entières, 1 tomate pelée et coupée en petits dés, 2 oignons coupés fin et blanchis à la poêle, 60 g de parmesan râpé, basilic, 1 gousse d'ail pressée, sel, une noix de beurre.*

Raviolis aux orties et au beurre d'ail

*F*aire les pâtes peut sembler difficile, mais en réalité, c'est une chose très simple. Si vous ne voulez pas abaisser la pâte au rouleau, il suffira de recourir à la machine à pâtes, toujours utile. Une fois cette opération terminée, l'exécution de la recette est très simple, mais sa simplicité n'enlève rien à l'originalité et à l'excellence de ces raviolis. Pour ce bon petit plat, Walter conseille le Chardonnay de Fabrizio Bianchi, ferme du château de Monsanto.

Pour préparer le beurre d'ail, laissez l'ail macérer dans le beurre pendant quelques heures au bain-marie (ou pendant 10 minutes au four à micro-ondes). Pour la farce : hachez les légumes avec le couteau et amalgamez-les avec les ingrédients indiqués. Pour les pâtes : versez la farine sur la planche à pâtisserie en creusant une fontaine ; mettez les œufs au centre ; mélangez le tout avec l'huile et l'eau, de manière à obtenir une pâte souple, facile à travailler. Couvrez d'un torchon et laissez reposer pendant 30 minutes. Abaissez une feuille de pâte d'environ 8 cm et déposez tous les 4 cm une noix de farce. Recouvrez d'une seconde feuille de pâte et découpez de manière à confectionner des triangles farcis. Faites cuire les raviolis dans une grande quantité d'eau salée. Égouttez-les et versez-les directement dans un plat préchauffé. Ajoutez le beurre d'ail fondu et des écailles de parmesan.

INGRÉDIENTS *pour 6 personnes : Pour les pâtes : 400 g de farine complète, 100 g de farine, 4 œufs, un peu d'eau, 1 cuillerée d'huile d'olive, une pincée de sel.*
Pour la farce : 300 g de pousses d'ortie bien lavées, bouillies dans un peu d'eau salée et pressées, 100 g de feuilles vertes de bette traitées comme les orties, 2 cuillerées de ricotta de brebis, 1 jaune d'œuf, 2 cuillerées de parmesan râpé, une pincée de sel, poivre et noix muscade.
Pour le beurre d'ail : 200 g de beurre, 8 gousses d'ail pelées.

Double souveraine de pintade, pancetta au romarin et sauce au vinaigre page 18

*I*l s'agit simplement d'une poitrine de pintade, et sa préparation ne présente pas de difficulté. Un bon Chianti Classico, comme le Montevertine de Manetti, est un accompagnement idéal.

Préparez la double souveraine en soulevant la peau ; glissez les tranches de pancetta, salez, poivrez et, en rabattant la peau, liez avec une ficelle. Dorez-la dans une casserole avec un fond d'huile, ajoutez l'ail, le romarin et un verre de vin blanc. Couvrez et laissez cuire pendant environ 30 minutes. Une fois la cuisson terminée, liez le fond avec un peu de vinaigre de vinsanto. Partagez-la en deux parties et servez-la avec un assortiment de petits légumes, sautés au beurre.

INGRÉDIENTS *pour 2 personnes : 1 double souveraine de pintade (les deux parties de la poitrine attachées au bréchet), 4 tranches de pancetta passées dans du romarin haché, 4 gousses d'ail, 1 branche de romarin, 1 verre de vin blanc, vinaigre de Vinsanto, huile d'olive, sel, poivre.*

Mousse de citron à la crème de fraise et fraises au citron

*P*our terminer, un dessert clôturera ce dîner préparé avec raffinement. Il sera accompagné d'un Passito de la cascina Caluso.

Préparez un sirop en faisant bouillir tous les ingrédients pendant 10 minutes, puis laissez refroidir. Dans un bain-marie chaud, versez le sirop en filet sur les jaunes d'œufs, en fouettant le mélange ; ajoutez la gélatine. Quand le mélange est bien fouetté, retirez-le du feu en le travaillant encore, puis incorporez le jus de citron, les blancs battus en neige et le citron vert. Versez le mélange dans de petits moules individuels, que vous laisserez au réfrigérateur pendant au moins 6 heures. Pour la sauce, fouettez les fraises avec le jus de citron, le gin et le sucre glace. Conservez-en une partie au réfrigérateur et versez le reste sur des fraises coupées en petits morceaux. Laissez macérer pendant au moins 30 minutes. Renversez les moules en les posant sur un lit de sauce. Complétez en disposant les fraises à côté, puis servez.

INGRÉDIENTS *pour 8 personnes : 250 g de fraises. Pour le sirop : 100 g d'eau, 30 g de jus de citron, 190 g de sucre, quelques zestes de citron. Pour la mousse : 5 jaunes d'œuf, 5 blancs d'œuf battus en neige, le jus d'un demi-citron, un verre de bon citron vert, 2 feuilles de gélatine (ramollies dans l'eau froide).*
Pour la sauce : 500 g de fraises bien mûres, 5 cuillerées de jus de citron, 5 cuillerées de gin, 5 petites cuillerées de sucre glace.

Recettes de la Frateria di Padre Eligio, couvent de San Francesco, Cetona, tél. 0578.238015

Recettes du mois d'*avril*

Timbale de courge à la crème de navet

*I*l suffit d'un moule et d'une préparation simple et rapide pour créer, avec deux humbles ingrédients comme la courge et le navet, un plat élégant et savoureux. Le vin proposé est un Sauvignon Poggio alle Gazze du domaine de l'Ornellaia de Ludovico Antinori.

Faites cuire la courge à l'étouffée en faisant dorer les morceaux jusqu'à obtenir une purée (si elle reste trop sèche, ramollissez-la avec le vin). Fouettez la courge avec la ricotta, le parmesan, l'œuf, la noix muscade, le sel et le poivre. Beurrez 4 moules, remplissez-les aux deux tiers et mettez au four à 160-180 °C environ 20 minutes. Pour la sauce, faites sauter les fanes de navets, l'ail, le piment, le sel et le poivre. Fouettez-les avec un peu d'eau de cuisson et d'huile, de manière à obtenir une crème d'un vert brillant. Renversez les moules sur un plat et garnissez avec la crème de navet.

INGRÉDIENTS *pour 4 personnes : 400 g de courge jaune, lavée et découpée en petits dés, 50 g de beurre, 150 g de ricotta, 1 grosse cuillerée de parmesan, 1 œuf, 1/2 verre de chardonnay, noix muscade, sel, poivre blanc.*
Pour la sauce : 1 poignée de fanes de navets blanchies (conservez l'eau de cuisson), 1/2 gousse d'ail, huile d'olive vierge extra, piment, sel, poivre.

Pappardelle aux cèpes   page 22

*F*rancesca prépare de magnifiques pappardelle grâce à une cuisson brève et rapide des cèpes, ce qui conserve le parfum des champignons ; l'ajout de calament en exalte le goût. Cette herbe, qui pousse à l'état sauvage dans les champs, était communément utilisée par les Romains pour parfumer les plats. Pour accompagner les pappardelle, rien de tel qu'un excellent Chianti Classico Vecchie Terre de Montefili de 1997.

Dans une sauteuse, faire revenir à l'huile l'ail haché et le piment. Ajoutez les tomates, les herbes, le sel et le poivre, puis faites cuire 2 minutes à feu vif. Ajoutez les cèpes et faites sautez pendant quelques minutes. En attendant, faites cuire les pappardelle dans l'eau bouillante salée et, quand elles sont encore *al dente*, égouttez-les et faites-les sauter rapidement dans la sauce, de façon à les servir bien chaudes.

INGRÉDIENTS *pour 4 personnes : 320 g de pappardelle à l'œuf, 300 g de cèpes lavés et coupés en fines lamelles, 2 tomates pelées et écrasées, 1 gousse d'ail, 1 petite cuillerée de calament ou un mélange de menthe et d'origan frais, huile d'olive vierge extra, piment, sel, poivre.*

Gâteau aux pommes

*U*n bon dessert, facile et léger, qui rappelle les tartes d'autrefois, à servir avec un inimitable Moscadello Col d'Orcia. Fouettez vivement les œufs avec le sucre, ajoutez la farine, le beurre légèrement fondu et le rhum. Quand la pâte est suffisamment onctueuse, ajoutez les pommes et la levure, puis amalgamez le tout. Versez le mélange dans un moule à tarte de 28 cm de diamètre, enfournez à 180 °C et faites cuire pendant 50 minutes environ. Servez avec quelques cuillerées de crème fouettée, du sucre de canne et un peu de rhum.

INGRÉDIENTS *pour 6 personnes : 5 pommes vertes coupées très fin, 75 g de beurre, 200 g de sucre, 3 cuillerées de farine, 2 œufs, 1 verre de rhum, 1 paquet de levure.*

Recettes de Francesca Cianchi, villa Il Monte, via di Fontibucci, Bagno a Ripoli, tél. 055.698113

Friture de légumes   page 30

À la campagne comme en ville, la friture a toujours été le plat des jours de fête. Son secret réside dans l'huile, et la bonne huile ne manque pas en Toscane, où l'on aime frire un peu tout : les viandes, les poissons et les légumes. Néanmoins, il ne suffit pas d'une huile de qualité pour obtenir une bonne friture croquante : commencer quand l'huile est bien chaude, maintenir constamment la bonne température, frire avec de la nouvelle huile sont les principes de base pour rendre ce plat délicieux et léger. Pour l'accompagner, Carlo conseille un Carmignano 1996 de la ferme de Capezzana.

Lavez bien les feuilles, puis coupez les pommes de terre et les courgettes en bâtonnets, l'oignon en rondelles et les artichauts en quartiers. Préparez une pâte à frire avec l'œuf, l'eau, la farine et une pincée de sel. Passez les légumes dans la pâte et faites frire dans une grande quantité d'huile d'olive à 160 °C (pour avoir une friture croquante et sèche).

INGRÉDIENTS *pour 4 personnes : 4 feuilles de mauve, 4 feuilles de bourrache, 4 feuilles de souci, 4 feuilles de sauge, 2 courgettes, 1 pomme de terre, 1 oignon, 4 artichauts, 100 g de farine, un verre d'eau, 1 œuf, sel.*

Timbale de navets à la crème de haricots *page 31*

*L*a superbe campagne qui entoure Delfina et son restaurant a toujours fourni les produits qu'elle préfère ; c'est ainsi que légumes et aromates, cultivés ou sauvages, sont devenus la base de ses plats. Ce sont les plats traditionnels de la campagne, simples et essentiels, qui ont évolué par petites touches en faisant même des navets et des haricots un plat raffiné. Pour accompagner ce plat, on reste dans la région avec le Vin Ruspo 1998 de la ferme d'Artimino. Blanchissez les fanes de navets dans l'eau salée, pressez-les et passez-les au moulin à légumes à grille fine. Laissez-les bien sécher dans une poêle, puis mélangez-les avec l'œuf et le lait. Versez le mélange dans des petits moules beurrés et faites cuire au four au bain-marie environ 30 minutes. Faites revenir à l'huile l'ail avec la sauge et le romarin. Ajoutez la pulpe de tomate, salez et faites bouillir pendant quelques minutes. Ajoutez les haricots, passez au moulin à légumes et laissez cuire environ 30 minutes. Servez chaque timbale sur un lit de purée de haricots avec deux tranches de pain grillé.

INGRÉDIENTS *pour 4 personnes : 1 kg de fanes de navets, 1/2 verre de lait, 200 g de haricots secs blanchis, 1 œuf, 100 g de tomates, huile d'olive vierge extra, un peu de beurre, romarin, sauge, ail, sel, 8 tranches de pain grillé.*

Tomates aux raisins

*R*ien que des légumes pour un plat insolite, savoureux, qui peut être proposé à n'importe quel moment du repas comme entrée ou comme accompagnement. Carlo, le fils de Delfina, perpétue et défend avec passion la tradition de cette cuisine pauvre et ancienne, et propose encore un des vins de cette terre : le Barco Reale 1998 de la ferme Ambra. Coupez les tomates en tranches, épépinez-les, puis farinez-les des deux côtés. Dans une sauteuse, mettez l'huile avec l'ail, chauffez, faites rissoler les tomates des deux côtés, salez, ajoutez la sauce tomate et le jus obtenu en pressant la moitié des raisins. Cuisson terminée, ajoutez les grains de raisin restant et servez le tout bien chaud.

INGRÉDIENTS *pour 2 personnes : 100 g de raisins San Colombano bien mûrs, 4 tomates rondes bien vertes, 60 g de farine, 4 gousses d'ail, 1 cuillerée de sauce tomate, huile d'olive, sel.*

Recettes du restaurant Da Delfina, Artimino (Carmignano), tél. 055.8718074

Recettes du mois de *mai*

Calmars et poulpe à la vapeur avec macédoine de légumes et riz canadien

*C*ette recette, dont le goût si délicat et si particulier tient presque du miracle, est extrêmement simple. Ajoutez un bouchon de liège dans l'eau de cuisson et plongez-y le poulpe 3 à 4 fois au moment où l'eau se met à bouillir : on dit que cette astuce rend le poulpe particulièrement tendre. Pour le vin, même si sa cave est importante et prestigieuse, Lorenzo reste dans la région avec un Sauvignon des collines lucquoises de l'exploitation agricole de Camilliano. Laissez tremper le riz canadien pendant 20 minutes, puis faites-le bouillir pendant 40 minutes. Lavez les courgettes et coupez-les en fines rondelles, puis égouttez-les. Lavez le poulpe après l'avoir bien battu, cuisez-le dans l'eau bouillante salée pendant 45 à 50 minutes et laissez-le refroidir dans l'eau de cuisson, avant de le découper en petits morceaux. Lavez les calmars et cuisez-les dans l'eau bouillante salée pendant quelques minutes. Coupez les tomates en petits dés et les herbes (basilic et calament) en fines bandelettes. Assaisonnez tous les ingrédients avec l'huile, le vinaigre, le jus de citron, le piment et le sel. Mélangez le tout avec le riz et servez-le sur un lit de chicorée et de laitue, parsemé de radis.

INGRÉDIENTS *pour 4 personnes : 100 g de riz canadien, 300 g de calmars, 500 g de poulpe, 100 g de courgettes, 150 g de tomates, 50 g de radis, quelques feuilles de chicorée de Trévise et de laitue coupées fin, huile d'olive vierge extra, 3 cuillerées de vinaigre balsamique, jus de citron, basilic, calament, piment, sel.*

Spaghetti aux calmars parfumés à la sauge *page 45*

*L*es propositions de Lorenzo varient toujours selon les produits disponibles sur le marché. Pour toutes ses recettes, il peut se permettre une incroyable simplicité d'exécution, parce qu'il privilégie toujours la fraîcheur et la qualité du poisson. De même, c'est la manière dont il cuit les pâtes directement avec le poisson qui rend ses spaghettis exceptionnels, même avec la sauce la plus simple. Pour ces merveilleux spaghettis aux calmars, Lorenzo nous conseille un simple Montecarlo blanc de la maison Buonamico.

Pelez l'ail et faites-le revenir dans une poêle avec de l'huile et du piment. Éliminez l'ail, puis ajoutez les calmars et la sauge. Faites dorer pendant quelques minutes, puis ajoutez les spaghettis. Arrosez de vin blanc et laissez s'évaporer. Salez et faites cuire en ajoutant petit à petit de l'eau bouillante, comme pour un risotto, en mélangeant bien. Quand la cuisson est terminée, disposez les spaghettis sur les assiettes et garnissez avec quelques feuilles de sauge.

INGRÉDIENTS *pour 4 personnes : 240 g de spaghettis, 400 g de calmars nettoyés et lavés, 8 feuilles de sauge, 1 gousse d'ail, huile d'olive vierge extra, 1/2 verre de vin blanc, piment, sel.*

Saint-Pierre à la printanière

Avec cette recette, qui convient aussi à une cuisine diététique, c'est encore une préparation extrêmement facile qui permet d'obtenir un résultat frais et raffiné. Un vin délicat s'impose : un Vermentino des collines de Luni, d'Ottaviano Lambruschi.
Préparez une julienne de légumes avec un cœur de céleri, des tomates et du basilic. Assaisonnez avec de l'huile d'olive vierge extra, une goutte de vinaigre de vin et du sel. Mettez les saint-pierre, nettoyés et lavés, dans une casserole d'eau froide, et ajoutez la carotte, le céleri et l'oignon. Portez à ébullition et faites cuire environ 5 à 10 minutes. Aussitôt la cuisson terminée, enlevez les arêtes, disposez les filets de saint-pierre sur un plat très chaud et couvrez-les avec la julienne.

INGRÉDIENTS *pour 4 personnes : 8 petits saint-pierre d'environ 100 g chacun, 1 carotte, 1 côte de céleri, 1/2 oignon. Pour la julienne : 1 cœur de céleri, 2 à 3 tomates, basilic, huile d'olive vierge extra, vinaigre de vin, sel.*

Recettes du restaurant Lorenzo, Forte dei Marmi, via Carducci 61, tél. 0584.84030

Recettes du mois de *juin*

Anchois marinés   *page 52*

Ce petit poisson bleu bon marché est insuffisamment apprécié. Cette recette très simple est une des nombreuses façons d'utiliser les anchois : frits, farcis, à la tomate ou grillés, ils sont tout aussi excellents, faciles à cuisiner et toujours délicieux. Le vin de la maison, l'Ansonica du Giglio, les accompagne avec succès.
Nettoyez les anchois en enlevant la tête et l'arête centrale. Mélangez dans un bol le vinaigre, le vin, le citron et le sel, puis laissez les anchois mariner pendant 24 heures. Égouttez-les, disposez-les sur un plat, ajoutez un filet d'huile et du persil, et garnissez avec un poivron coupé en lanières.

INGRÉDIENTS *pour 4 personnes : 400 g d'anchois frais, 1 verre de vinaigre, 1/2 verre de vin blanc, le jus d'un citron, sel, huile d'olive vierge extra, persil haché, 1 poivron jaune grillé et pelé.*

Raviolis noirs au calmar

Pour réussir cette recette, qui n'est pas aussi compliquée qu'il y paraît, l'essentiel est de trouver les seiches fraîches encore à nettoyer. On demandera au poissonnier de nettoyer seiches et calmars, en mettant de côté la poche à encre. Il ne restera qu'à faire les pâtes et à préparer la sauce. Le vin conseillé pour ce plat est un Morellino di Scansano Torre del Moro de Fonteblanda, à servir frais.
Mélangez la farine avec les œufs, l'eau et le sel, en ajoutant l'encre de seiche. Laissez reposer le mélange, puis abaissez une mince feuille de pâte. Nettoyez les seiches, mettez-les dans un mixeur avec la ricotta, l'œuf, le pain, le sel, et le poivre. Coupez des carrés de pâte d'environ 10 x 10 cm. Au centre de chaque carré, versez une cuillerée du mélange préparé, puis refermez pour former un triangle. Pour la sauce, mettez dans une sauteuse l'huile et l'oignon coupé en julienne avec le piment. Ajoutez les gros calmars, nettoyés et coupés en rondelles ; salez, couvrez et faites dorer lentement. Ajoutez les petits calmars en arrosant le tout de vin blanc. Faites cuire les raviolis dans l'eau bouillante salée, égouttez-les et faites-les sauter dans la sauce, en ajoutant les tomates et la roquette.

INGRÉDIENTS *pour 4 personnes : Pour les pâtes, 400 g de farine, 3 œufs, 1 tasse d'eau, une pincée de sel, un sachet d'encre de seiche. Pour la farce : 300 g de seiches, 50 g de ricotta, 1 œuf, 1 tranche de pain de mie trempée dans le lait, sel, poivre. Pour la sauce : 250 g de gros calmars, 100 g de petits calmars, 100 g de tomates cerise, 1 botte de roquette lavée et hachée menu, 1 petit oignon, piment, huile d'olive, vin blanc, sel.*

Recettes du restaurant Da Maria, Giglio Castello (île du Giglio), tél. 0564.806062

Linguine au crabe « Margherita » *page 61*

Cette recette est très facile, pourtant la présentation peut s'avérer somptueuse, et la saveur succulente. La seule difficulté est la patience exigée par le décorticage du gros crabe. Le vin conseillé par le restaurateur est le Terre di Tufi, un Vernaccia de Teruzzi et Puthod.

Plongez le crabe dans l'eau bouillante et égouttez-le pendant quelques minutes en conservant l'eau. Sortez la chair du corps, des pattes et des pinces. Hachez ou pressez l'ail et faites-le revenir dans l'huile avec le piment. Ajoutez la chair du crabe, salez, faites légèrement rissoler, puis arrosez de vin blanc. Ajoutez les tomates et laissez cuire encore pendant 5 minutes. En attendant, faites cuire les linguine dans l'eau de cuisson du crabe, égouttez-les et faites-les sauter dans la sauce, parsemez-les de persil et servez-les bien chaudes.

INGRÉDIENTS *pour 6 personnes : 500 g de linguine, 1 crabe « Margherita », 200 g de tomates cerise, huile d'olive vierge extra, ail, piment, vin blanc sec, persil haché, sel.*

Friture de paranza *page 60*

La friture de paranza est un mélange de divers poissons, frit simplement avec la seule farine. Le poisson doit se présenter bien croustillant, de manière à pouvoir le manger avec la tête et les arêtes. Le vin conseillé est le Torgaio, un rouge frais de la maison Ruffino.

Nettoyez puis lavez les poissons et les calmars. Séchez-les, coupez les calmars en rondelles, passez les poissons et les écrevisses dans la farine et faites-les frire dans une grande quantité d'huile bouillante, chauffée dans une poêle en fer. Salez à mi-cuisson et, quand la friture est bien croustillante, disposez-la sur du papier absorbant.

INGRÉDIENTS *pour 4 personnes : 600 g de poisson de paranza (la paranza, c'est le filet tiré par le bateau de pêche et, par extension, le poisson qui se trouve au fond de ce filet), 4 écrevisses moyennes, 2 calmars, 100 g de farine, 1 litre d'huile d'olive, sel.*

Grondin au court-bouillon

Cette recette n'est pas non plus difficile, et la fraîcheur du poisson reste la condition essentielle de sa réussite. Si possible, on la mettra en valeur avec un prestigieux Chardonnay Colline d'Ama del Castello, d'Ama in Chianti. Divisez le grondin en deux parties, dans le sens de la longueur, et mettez-le dans une casserole avec tous les ingrédients. Portez à ébullition et cuisez à feu doux, le récipient bien fermé, pendant environ 3 minutes. Retirez le poisson et faites réduire le liquide à feu vif. Disposez le grondin sur sa sauce, puis servez.

INGRÉDIENTS *pour 4 personnes : 1 grondin d'au moins 1 kg, 1/4 de litre d'eau, 1/4 de litre de vin blanc, 2 gousses d'ail, 1/2 oignon, 1 côte de céleri, 1 petite carotte, 5 tomates cerise, 1 pincée de romarin, 1 pincée de fenouil, 1 pincée de sauge, quelques câpres, quelques olives noires, huile d'olive vierge extra, sel, piment.*

Recettes du restaurant Il Veliero, Porto Santo Stefano, via Panoramica 149, tél. 0564.812226

Recettes du mois de *juillet*

VARIATION DE LÉGUMES

En Toscane, les légumes farcis sont comme les crostini : on les trouve partout, et sous toutes les formes. Ce plat, exemple d'une cuisine simple et naturelle, ne manque pas non plus sur la table de la chartreuse de Maggiano, qui fait partie de la chaîne des Relais & Châteaux. Le vin qui les accompagne est un Vernaccia Fiore de Montenidoli.

Fleurs de courgettes à la mozzarella

Lavez les fleurs de courgettes après avoir enlevé leurs pistils, puis séchez-les. Hachez finement la mozzarella, mélangez-la aux anchois et, avec une petite cuillère, remplissez les fleurs de courgette avec le mélange obtenu. Préparez une pâte à frire en mélangeant la farine, l'eau et une pincée de sel. Passez les fleurs dans la pâte. Faites-les frire dans une poêle avec une grande quantité d'huile bouillante. Séchez-les en les posant sur du papier absorbant.

INGRÉDIENTS *pour 4 personnes : 8 fleurs de courgette, 1 mozzarella, 4 anchois nettoyés, débarrassés de leurs arêtes et hachés, 2 cuillerées de farine, 1/2 verre d'eau, huile d'olive, sel.*

Courgettes farcies page 73

Lavez et videz les courgettes. Dans une poêle, faites revenir à l'huile la pulpe des courgettes avec l'oignon coupé en filets. Fouettez le mélange en y ajoutant l'œuf, le parmesan, la chapelure, le sel et le poivre. Remplissez les courgettes que vous disposerez dans un plat à rôti huilé et mettez-les au four à 200 °C environ. Durant la cuisson, arrosez les courgettes avec le bouillon. Après environ 30 minutes, retirez-les du four et servez-les.

INGRÉDIENTS *pour 4 personnes : 4 courgettes rondes, 1/2 oignon, 1 œuf, 2 cuillerées de parmesan râpé, 1 cuillerée de chapelure, huile d'olive vierge extra, 1 tasse de bouillon, sel, poivre.*

Tomates farcies de riz page 73

Lavez et videz les tomates. Faites cuire le riz dans la pulpe des tomates passée au mixeur, en ajoutant un peu de bouillon. Salez et poivrez, en continuant à arroser le mélange de riz avec le bouillon. À mi-cuisson, retirez du feu et remplissez les tomates en ajoutant le basilic. Disposez-les dans un plat à rôti huilé, passez-les au four à 200 °C pendant environ 20 minutes, puis servez.

INGRÉDIENTS *pour 4 personnes : 4 tomates, 200 g de riz, 1 tasse de bouillon, quelques feuilles de basilic, huile d'olive vierge extra, sel, poivre.*

Oignons farcis page 73

Après les avoir pelés et lavés, faites bouillir les oignons pendant environ 5 minutes, puis coupez-les en deux dans le sens horizontal et évidez-les. Faites revenir l'intérieur des oignons dans une poêle avec un peu d'huile, ajoutez le parmesan, la chapelure, l'œuf, le sel et le poivre. Passez le tout au mixeur, remplissez les oignons évidés, mettez-les dans un plat à rôti huilé et passez-les pendant environ 30 minutes dans un four préchauffé à 200 °C.

INGRÉDIENTS *pour 4 personnes : 4 oignons jaunes, 1 cuillerée de parmesan, 1 cuillerée de chapelure, 1 œuf, huile d'olive vierge extra, sel, poivre.*

Fleurs vertes de pâte fraîche dans une sauce de pintade et chou braisé page 73

Si leur forme florale peut donner l'impression d'un plat « nouvelle cuisine », ces raviolis représentent la cuisine aux saveurs rustiques de la campagne ; un goût fort, qui se marie merveilleusement avec un vin de Montepulciano : le Marzocco de chez Avignonesi.
Désossez la pintade et coupez-la en petits morceaux. Mettez-les dans une poêle avec l'huile, l'oignon, le céleri, le sel et le poivre. Faites rissoler le tout et ajoutez le chou frisé de Milan ; couvrez et achevez de cuire. Quand tout le liquide est évaporé, arrosez avec le vernaccia et laissez réduire. Ajoutez l'œuf et le parmesan, puis passez le tout au mixeur. Pour préparer les pâtes, mélangez la farine avec les œufs, l'eau, le sel, les épinards. Abaissez la pâte en bandes d'environ 6 à 8 cm. Avec une petite cuillère, déposez à distance régulière de petites noisettes de mélange, puis couvrez avec une seconde bande de pâte. Comprimez de façon à faire sortir l'air. Avec un emporte-pièce, découpez les raviolis en forme de fleurs. Faites cuire les raviolis dans l'eau bouillante salée. Dans un plat allant sur le feu, faites chauffer le beurre avec la sauge. Égouttez les raviolis, mettez-les dans le plat, ajoutez le beurre aromatisé et le parmesan et servez.

INGRÉDIENTS *pour 4 personnes : Pour les pâtes : 3 œufs, 250 g de farine, 1 cuillerée d'épinards passés au mixeur, 1 tasse d'eau, 1 pincée de sel. Pour la farce : 1/2 pintade, 200 g de chou frisé de Milan coupé en julienne, 1 verre de vernaccia, 1 œuf, 2 cuillerées de parmesan, huile, 1 petit oignon haché, 1 côte de céleri haché, sel, poivre.*
Pour le condiment : 50 g de beurre, 50 g de parmesan, quelques feuilles de sauge.

ASSORTIMENT DE DESSERTS page 72

Cet assortiment, qui réunit trois des desserts les plus connus, est servi avec un vieux Marsala Terre Arse.

Semifreddo au café

Battez en neige les blancs d'œuf avec le sucre et mettez-les au réfrigérateur. Fouettez la crème. Mélangez lentement les blancs d'œufs et la crème fouettée. Ajoutez le café, préparé au préalable. Remplissez les petits moules et mettez au congélateur pendant 12 heures.

INGRÉDIENTS *pour 4 personnes : 250 g de crème liquide, 2 blancs d'œuf, 100 g de sucre, 1 tasse de café espresso, 4 petits moules individuels.*

Gâteau au chocolat

Faites fondre le chocolat et le beurre au bain-marie. Retirez du feu, ajoutez le sucre et les œufs, et mélangez pendant quelques minutes. Versez le mélange dans un moule bien beurré, puis faites cuire au four à 180 °C pendant environ 60 minutes. Quand il est refroidi, coupez le gâteau en tranches.

INGRÉDIENTS *pour 4 personnes : 250 g de beurre, 250 g de chocolat fondant, 250 g de sucre, 4 œufs.*

Profiteroles

Mettez sur le feu l'eau avec le beurre. Dès que l'eau commence à bouillir, ajoutez la farine et mélangez bien. Quand le mélange est tiède, ajoutez l'œuf, amalgamez, puis versez le tout dans une poche à douille. Beurrez et farinez une plaque de cuisson, puis déposez des noisettes de pâte. Mettez au four à 180 °C. Dès que la pâte présente une couleur dorée, retirez du four. Préparez une crème pâtissière avec les ingrédients indiqués. Remplissez les choux et disposez-les sur un plat. Faites fondre le chocolat au bain-marie, puis versez-le sur les choux.

INGRÉDIENTS *pour 4 personnes : 20 g de beurre, 65 g d'eau, 35 g de farine, 1 œuf, 250 g de chocolat.*
Pour la crème pâtissière : 250 g de lait, 2 jaunes d'œuf, 75 g de sucre, 25 g de farine.

Recettes de la chartreuse de Maggiano, Sienne, via della Certosa 82, tél. 0577.288180

HORS-D'ŒUVRE DE CROSTINI VARIÉS   *page 77*

En Toscane, les crostini se trouvent sur toutes les tables, préparés de cent manières différentes. Le pain peut être gris ou blanc, grillé ou détrempé, et l'on passe de la simple bruschetta de tomate fraîche aux tranches enduites de purées de viande, de poisson, de fromage ou de légumes. Pour tous ces toasts, ces purées doivent être suffisamment liquides, de manière à bien imprégner le pain grillé. À l'époque où les couverts n'existaient pas encore, la nourriture était habituellement prise avec les mains et posée sur le pain, qui s'imprégnait ainsi du jus des aliments : ces morceaux de pain sont certainement les ancêtres des crostini d'aujourd'hui. Madame Daniela les sert avec un Montepulciano rouge de la cave Poliziano.

INGRÉDIENTS *pour 8 personnes : 4 tranches de pain de ménage toscan grillé par personne.*

Crostini de viande

Dans une casserole, faites cuire à l'huile la viande hachée, les foies et les gésiers de poulet, l'oignon, le citron et la pomme. Après une heure, passez le tout au hachoir à viande. Ajoutez les anchois, les câpres, le beurre, le jus de citron, le sel et le poivre. Mélangez tous les ingrédients, chauffez et retirez du feu avant ébullition.

INGRÉDIENTS *pour 8 personnes : 200 g de viande hachée maigre, 100 g de foies de poulet, 100 g de gésiers de poulet, huile d'olive, 1 oignon, 1/2 citron, 1/2 pomme jaune ou verte, 3 à 4 filets d'anchois, 50 g de câpres, 100 g de beurre, jus de citron, sel, poivre.*

Crostini de champignons

Hachez grossièrement l'ail, l'oignon, les cèpes et les champignons de Paris. Mettez le tout dans une casserole avec l'huile. Ajoutez le sel, le poivre et le piment. Faites cuire à feu vif pendant environ 20 minutes. Ajoutez le vin. Dès que le vin est évaporé, continuez la cuisson à feu doux pendant 10 minutes.

INGRÉDIENTS *pour 8 personnes : 300 g de champignons de Paris frais, 200 g de cèpes frais (ou 50 g de cèpes séchés, trempés dans l'eau tiède), 1 oignon blanc, 2 gousses d'ail, 5 à 6 cuillerées d'huile d'olive, 1 verre de vin blanc, sel, poivre, piment.*

Crostini de tomates

Lavez bien les tomates et coupez-les en petits dés. Laissez-les égoutter pendant quelques minutes, puis assaisonnez-les avec l'huile, la gousse d'ail hachée, le sel et le piment. Mettez le mélange sur les tranches de pain grillé et garnissez avec les feuilles de basilic hachées.

INGRÉDIENTS *pour 8 personnes : 4 tomates rouges bien fermes, huile d'olive vierge extra, 1 gousse d'ail, 4 branches de basilic, sel, piment.*

Crostini de chou noir

Lavez soigneusement le chou et coupez-le en petites lanières, en éliminant les côtes. Faites revenir dans l'huile l'oignon et la pancetta coupée en petits dés. Ajoutez le chou petit à petit, en continuant à cuire à feu vif pendant environ 20 minutes. Arrosez de vin blanc. Ajoutez le sel et le piment, puis couvrez et achevez la cuisson lentement.

INGRÉDIENTS *pour 8 personnes : 500 g de chou noir, 100 g de pancetta salée, 1 oignon haché, 1/2 verre de vin blanc, huile d'olive vierge extra, sel, piment.*

Gnocchis verts au chou et à la truffe page 76

D'origine très ancienne, les gnocchis ont précédé les pâtes, mais c'est seulement à la fin du XVIIIe siècle que les gnocchis de maïs et de pommes de terre apparaissent en Toscane. Ils ne sont pas faciles à faire ; ce qui importe, c'est la qualité des pommes de terre, mais aussi un dosage de farine très précis : trop de farine les rend durs et caoutchouteux, pas assez, et ils se défont. Le Chardonnay de Caparzo Grane de Montalcino est un vin qui convient. Faites cuire les pommes de terre avec leur peau. Épluchez-les encore chaudes et passez-les au presse-purée. Mélangez la pulpe avec les épinards, les œufs, le sel et la farine, jusqu'à ce que vous obteniez un mélange homogène. Formez des boudins gros comme un doigt, coupez-les tous les 2 cm environ et passez-les entre les mains farinées. Dans une casserole, faites revenir l'oignon dans l'huile, ajoutez le chou frisé et faites rissoler le tout environ 15 minutes. Arrosez de vin blanc, ajoutez sel, poivre et eau et achevez la cuisson à feu doux. Dans une poêle, préparez le beurre, la truffe râpée et 8 cuillerées de chou frisé. Faites cuire les gnocchis dans l'eau bouillante salée ; quand ils remontent à la surface, égouttez-les et passez-les rapidement dans la poêle avec le condiment, en ajoutant à volonté des lamelles de truffes.

INGRÉDIENTS *pour 8 personnes : 1 kg de pommes de terre blanches, 100 g d'épinards blanchis et passés au mixeur, 2 œufs, 100 g de farine, 500 g de chou frisé de Milan, nettoyé et coupé en lanières, 1 oignon finement haché, 1/2 verre de vin blanc, 1 verre d'eau, 50 g de beurre, 15 g de truffe d'été fraîches, huile d'olive, sel, poivre.*

Recettes du restaurant Daniela, San Casciano dei Bagni, piazza Matteotti, tél. 0578.58234

Recettes du mois d'*août*

Raviolis au beurre et à la sauge page 96

Les raviolis qui nous sont proposés sont les plus classiques, avec le plus classique des condiments : ils reflètent parfaitement l'atmosphère simple et chaleureuse du restaurant Laudomia, une vieille auberge de campagne traditionnelle. Accompagnez-les d'un Morellino de Scansano des caves Botri. Versez la farine sur la planche à pâtisserie en creusant une fontaine, cassez 3 œufs, ajoutez l'eau et une pincée de sel. Travaillez le tout énergiquement avec les doigts jusqu'à ce que vous obteniez une boule bien lisse et élastique. Lavez les épinards, blanchissez-les dans l'eau bouillante salée, hachez-les finement après les avoir bien pressés. Dans un saladier, mélangez les épinards avec la ricotta, 1 œuf, 4 cuillerées de parmesan et une pincée de noix muscade. Abaissez une feuille de pâte et versez une cuillerée de la farce tous les 5 cm environ. Couvrez d'un morceau de pâte, pressez le contour de la farce, puis découpez les raviolis avec une roulette dentée. Dans une poêle, faites rissoler au beurre la sauge. Faites cuire les raviolis dans une grande quantité d'eau salée. Égouttez-les, ajoutez le beurre bien chaud et parsemez-les de parmesan.

INGRÉDIENTS *pour 4 personnes : 350 g de farine, 500 g d'épinards, 200 g de ricotta, 4 œufs, 1/2 verre d'eau, 80 g de beurre, 100 g de parmesan râpé, noix muscade, sauge, sel.*

Cette simple salade enrichie de parmesan se distingue par la fraîcheur de la roquette, à peine cueillie dans le potager tout proche. Accompagnée d'une carafe d'ansonica frais, un vin de la côte de l'Argentario, cette salade est un délice. Nettoyez et lavez la roquette, séchez-la et assaisonnez-la avec de l'huile, du vinaigre et du sel. Disposez-la sur les assiettes et parsemez-la d'écailles de parmesan.

INGRÉDIENTS *pour 4 personnes : 400 g de roquette, 60 g de parmesan coupé en écailles, huile d'olive vierge extra, vinaigre, sel.*

Recettes du restaurant Laudomia, Montemerano, tél. 0564.602807

Gnocchis aux orties *page 95*

*C*es gnocchis sont connus sous des noms différents : raviolis du Casentino, du nom de la région dont ils proviennent sans doute ; malfatti (« mal faits »), en raison de la forme irrégulière que l'on obtient en les farinant avec les mains ; gnudi (« nus »), parce qu'ils ne sont pas revêtus de pâte, comme les raviolis. Les plus classiques sont faits avec les épinards, mais on en fait aussi avec les bettes ou avec des pousses d'orties. Dans le Casentino, on les prépare avec une sauce tomate ou de viande, mais le beurre et la sauge sont l'accompagnement idéal pour mettre en valeur le goût délicat des légumes. Chez Caino, le vin conseillé est le Lunaia 1997, un blanc de Pitigliano de l'entreprise agricole La Stellata. Lavez les orties, blanchissez-les dans l'eau bouillante salée, égouttez-les et hachez-les. Dans un bol, mélangez la ricotta, les orties et les œufs, puis salez. Dans un plat, versez la farine, ajoutez le mélange à la cuillère et, en le farinant avec les mains, façonnez des gnocchis. Faites cuire les gnocchis dans l'eau bouillante salée, égouttez-les, puis ajoutez le beurre chaud et parfumé au préalable avec la sauge. Servez bien chaud, en saupoudrant de parmesan et d'une pincée de poivre.

INGRÉDIENTS *pour 4 personnes : 400 g de ricotta, 200 g de pousses tendres d'ortie, 2 œufs, 150 g de farine, 50 g de beurre, 50 g de parmesan, 8 feuilles de sauge, sel, poivre.*

Crostini toscans *page 95*

*A*ujourd'hui, c'est Valeria qui est en cuisine, mais on devine encore la main de Mamma Angela aussi bien dans les crostini que dans les légumes à l'huile. C'est une saveur ancienne que sa belle-fille, la jeune cuisinière, est parvenue à conserver. Cette saveur sera bien mise en valeur avec un Sinfonia, un Ansonica exceptionnel de 1995 de l'entreprise agricole Morisfarms. Faites dorer l'oignon dans l'huile avec la sauge. Ajoutez la rate finement hachée et les foies de poulet. Faites cuire à feu doux 10 à 15 minutes. Hachez le tout en ajoutant les câpres et les anchois débarrassés de leurs arêtes. Versez le mélange dans une casserole, ajoutez bouillon et vinaigre, et faites cuire lentement 30 minutes. Salez, puis servez sur les crostini.

INGRÉDIENTS *pour 4 personnes : 1 rate de bovin, 6 foies de poulet, 2 anchois, une petite cuillerée de câpres, 1 petit oignon blanc, 1 feuille de sauge, 1 louche de bouillon de viande, 2 cuillerées d'huile d'olive vierge extra, 1 cuillerée de vinaigre, sel, 8 tranches de pain toscan grillé.*

Légumes à l'huile *page 95*

*D*ans une poêle, portez à ébullition le vin blanc, avec l'eau, le vinaigre et le sel. Blanchissez les légumes pendant quelques minutes, égouttez-les et laissez-les sécher. Mettez-les dans un bocal et couvrez-les d'huile d'olive vierge extra. Vous pouvez ajouter à volonté les saveurs que vous préférez : de l'ail en tranches, du poivre en grains, du piment, du persil, du basilic.

INGRÉDIENTS *pour 4 personnes : asperges, poireaux, petits artichauts, champignons, haricots et tous les autres légumes que vous voulez, huile d'olive vierge extra, 1 litre de vin blanc sec, 1 litre d'eau, 1/4 de litre de vinaigre, 1 cuillerée de sel.*

Pigeon au vinaigre de vin rouge et au miel de tournesol

*P*lus élaboré et plus sophistiqué, ce plat à base de pigeon ne présente pourtant pas de difficultés particulières dans sa préparation. C'est ici que s'exprime la personnalité de Valeria qui, tout en perpétuant la tradition, réussit à donner une touche de nouveauté et à offrir une présentation digne d'un grand chef. Flambez les pigeons, nettoyez-les et désossez-les, en réservant les poitrines et les cuisses. Faites rissoler les carcasses avec deux cuillerées d'huile, en ajoutant l'oignon, la carotte et le céleri hachés, ainsi que le sel et le poivre. Dès que les pigeons sont rissolés, arrosez-les de vin, puis laissez s'évaporer. Ajoutez 2 à 3 louches d'eau, puis laissez cuire pendant environ 30 minutes à feu modéré. Avant de retirer du feu, ajoutez deux petites cuillerées de vinaigre, dans lequel vous aurez fait fondre le miel. Filtrez le tout avec le chinois et mettez de côté au chaud. Salez les poitrines et les cuisses des pigeons, badigeonnez-les de vinaigre et de miel, puis faites-les rissoler à feu vif, des deux côtés, dans une poêle avec du beurre. Disposez-les dans un plat allant au four, badigeonnez-les encore de vinaigre et de miel, puis mettez-les pendant environ 10 minutes dans un four préchauffé à 220 °C. En attendant, épaississez la sauce avec la maïzena, versez-la sur le plat, puis disposez les poitrines et les cuisses de poulet. Servez-les avec une purée de haricots blancs (cannellini).

INGRÉDIENTS *pour 4 personnes : 4 pigeons, 6 cuillerées de vinaigre de vin rouge, 4 cuillerées de miel de tournesol, 1 oignon, 1 carotte, 1 côte de céleri, 1 verre de verre rouge corsé, 1/2 cuillerée de maïzena, 50 g de beurre, 1 verre d'huile d'olive vierge extra, sel, poivre.*

Recettes du restaurant Caino, Montemerano, tél. 0564.602817

Recettes du mois de *septembre*

Pici au persil page 110

*U*ne planche à pâtisserie, une petite boule de pâte, un mouvement rapide des mains et, dans l'élégante salle du restaurant La Chiusa, les pici sont prêts en quelques minutes sous vos yeux. Les faire pour la première fois ne sera pas aussi facile et, peut-être pour la seconde fois aussi, mais heureusement, les pici sont vendus dans le commerce, chez les bons traiteurs. Pour les accompagner, un Brunello de Montalcino 1993 de Val di Cava est idéal.

Versez la farine sur la planche à pâtisserie en creusant une fontaine. Mettez au centre l'eau, l'huile, les œufs et le sel. Mélangez rapidement avec une fourchette à partir du centre, puis pétrissez bien avec les mains. Abaissez la pâte pour obtenir un rectangle d'environ 3 cm d'épaisseur et 40 cm de longueur. Coupez-la en bandes de 1 cm. En tenant une extrémité d'une main, roulez la pâte avec l'autre pour former une longue « ficelle » uniforme. Farinez les pici et laissez-les reposer dans un endroit frais. Dans une grande quantité d'eau salée, faites cuire les pici al dente. Égouttez-les puis versez un filet d'huile d'olive. Servez-les immédiatement sur des assiettes préchauffées, après les avoir parsemés de persil.

INGRÉDIENTS *pour 4 personnes :* 250 g de farine, 1,5 dl d'eau, 2 cuillerées d'huile d'olive vierge extra, 1 œuf, 1 petite cuillerée de sel, persil haché.

Fleurs de courge farcies page 108

*S*ouvent, Dania choisit et cueille personnellement dans son potager les légumes qu'elle cuisine avec tellement de brio. La fraîcheur des produits est son atout, son don inné pour la cuisine est sa force, son goût naturel pour le décor est son art. Comme vin, Umberto, toujours attentif en salle, nous suggère un Trebbiano Malvasia 1998 d'Innocenti.

Lavez soigneusement les fleurs, éliminez les pistils et les feuilles extérieures, et laissez sécher sur un torchon. Dans une assiette creuse, mélangez la ricotta et l'œuf avec une fourchette, ajoutez le sel, le poivre, le persil haché, puis remplissez les fleurs de courge avec le mélange obtenu. Faites fondre le beurre dans une poêle, ajoutez les tomates, le sucre, le sel, le poivre et laissez cuire 10 minutes à petit feu, puis ajoutez les fleurs farcies et faites-les mijoter à feu doux pendant 10 minutes. Retournez-les délicatement 2 à 3 fois avec une cuillère, jusqu'à ce que les fleurs soient bien recouvertes de sauce. Pendant ce temps, faites cuire les courgettes dans l'eau salée pendant quelques minutes, passez-les au mixeur avec le beurre pour obtenir une purée homogène. Disposez les fleurs dans les assiettes et décorez-les avec la crème de courgettes.

INGRÉDIENTS *pour 4 personnes :* 4 fleurs de courge, 150 g de ricotta, 1 œuf, 1 botte de persil, 50 g de beurre, 4 tomates mûres, pelées, épépinées et coupées en petits dés, 1 pincée de sucre, sel, poivre.
Pour la crème de courgettes : 3 petites courgettes, 1 petite cuillerée de beurre.

Cou de volaille farci à la sauce du berger page 109

*L*es oies, tellement communes autrefois, sont devenues rares, et le cou farci l'est encore plus. Inhabituel dans les restaurants, il est encore présent sur la table de ceux qui peuvent trouver des oies, canards ou poulets non élevés industriellement. Relevé par une sauce au fromage et accompagné par des légumes de saison, il perd son aspect de plat pauvre de la tradition paysanne pour devenir un mets presque sophistiqué, au point d'exiger comme vin un Nobile de Montepulciano 1996 de la maison Avignonesi.

Pour la sauce, écrasez les jaunes d'œuf dans une assiette creuse et continuez à mélanger tout en ajoutant l'huile, le pecorino, le persil haché et le sel, jusqu'à ce que vous obteniez une consistance crémeuse. Complétez la sauce en ajoutant une pincée de poivre moulu. Avec une pince, plumer le cou, lavez-le et videz-le complètement (ou bien achetez un cou déjà nettoyé chez le volailler). Trempez le pain dans le lait et écrasez-le avec une fourchette. Laissez les pistaches pendant 10 minutes dans l'eau chaude, puis pelez-les. Écrasez les foies de poulet avec une fourchette et mélangez-les avec le veau. Ajoutez tous les autres ingrédients, mélangez bien, puis salez et poivrez. Remplissez le cou avec la farce et cousez les extrémités avec une ficelle. Pour éviter que la farce ne s'échappe, mettez le cou dans un sac, en nouant les extrémités. Plongez le cou farci dans l'eau froide, ajoutez les aromates et portez à ébullition. Baissez le feu et laissez cuire pendant 20 minutes à feu très doux. Éteignez le feu et laissez refroidir le cou dans son liquide de cuisson. Posez-le sur une planche à découper et mettez-le sous un poids pendant environ une heure. Découpez-le en tranches d'environ 1 cm d'épaisseur, puis couvrez les tranches avec la sauce préparée.

INGRÉDIENTS *pour 4 personnes :* 1 cou de canard, de poulet ou d'oie, 1/2 tasse de lait, 15 g de pistaches, 200 g de viande de veau finement hachée, 2 foies de poulet, 1 jaune d'œuf, 1 botte de persil haché, 1 gousse d'ail, 20 g de parmesan râpé, 1 botte d'aromates (1 carotte, 1 côte de céleri, 1 tige d'oignon frais), la mie d'un petit pain, sel, poivre.
Pour la sauce du berger : 2 œufs durs, 50 g de pecorino affiné et râpé, 1 botte de persil, 2,5 dl d'huile d'olive vierge extra, poivre en grains, sel.

Pain de café au caramel *page 111*

*I*l n'est pas difficile de préparer ce délicieux dessert qui, grâce à de simples filaments de caramel, pourra clôturer un dîner par un bel effet. On l'accompagnera d'un Vinsanto San Giusto a Rentennano 1981.

Faites chauffez la moitié du sucre dans une poêle en acier chromé jusqu'à ce qu'il brunisse légèrement. Retirez du feu, baissez le feu et ajoutez de l'eau chaude. Remettez sur le feu et faites cuire lentement, en remuant continuellement jusqu'à ce que le sucre, complètement fondu, forme un épais sirop brun. Sans attendre, versez le caramel dans les petits moules beurrés, en veillant à ce qu'il adhère bien à l'intérieur. Dans un bol, battez les œufs et le reste de sucre jusqu'à ce que vous obteniez la consistance d'une mousse, puis ajoutez progressivement le café et le rhum. Versez le tout dans une carafe en passant au tamis. Remplissez les moules aux 2/3, mettez-les au bain-marie au four préchauffé à 160 °C et laissez-les prendre pendant environ 40 à 50 minutes. Retirez du four et laissez refroidir. Utilisez un couteau pour démouler, puis renversez les pains de café sur des assiettes froides, en les décorant avec des amandes coupées en deux, trempées dans le rhum, et avec des filaments de caramel.

INGRÉDIENTS *pour 4 personnes : 5 dl de café très fort, 5 œufs, 0,15 dl de rhum, 10 cuillerées de sucre, 1 dl d'eau chaude.*

Recettes du restaurant La Chiusa, Montefollonico, tél. 0577.669668

Recettes du mois d'*octobre*

Timbale de brocoli et de chou à la sauce au basilic

*A*près avoir découvert leur passion pour la cuisine, Paola et Marco ont voyagé près de huit années à travers le monde, travaillant pour découvrir les recettes de grands cuisiniers et de cuisines diverses. Ici, à L'Oroscopo, ils ont réalisé leur rêve, en tirant de leurs expériences l'imagination nécessaire à un style personnel et à une cuisine originale. Alors qu'entre les mains de Paola, les brocolis et le chou deviennent un mets raffiné, Marco, qui nourrit par une recherche constante sa passion pour les vins, propose le Montevertine blanc de Sergio Manetti.

Faites cuire les brocolis et le chou dans l'eau bouillante salée, égouttez bien, puis hachez finement le tout. Mélangez les deux légumes avec la béchamel, les œufs, le parmesan, l'ail haché, le sel et le poivre ; parfumez avec la noix muscade. Mélangez à nouveau, puis versez le tout dans 4 petits moules. Faites cuire au bain-marie dans le four à 180 °C pendant 20 minutes environ. Pendant ce temps, faites chauffer le bouillon et, quand il commence à bouillir, ajoutez le basilic et les épinards. Laissez cuire 3 à 4 minutes, égouttez puis passez le tout au mixeur avec un filet d'huile. Disposez la sauce obtenue sur les assiettes, mettez la timbale au centre et garnissez avec quelques lamelles de truffe.

INGRÉDIENTS *pour 4 personnes : 200 g de brocolis lavés et nettoyés, 200 g de chou blanc, lavé et nettoyé, 200 g de béchamel, 2 œufs, 60 g de parmesan, 2 gousses d'ail, noix de muscade, sel, poivre.*
Pour la sauce : 100 g de basilic nettoyé, 50 g d'épinards nettoyés, 1 louche de bouillon de légumes, 1 truffe coupée en lamelles, 1 cuillerée d'huile d'olive vierge extra.

Lasagnes de calament aux cèpes et à la crème de pecorino

*U*ne fois surmontées les difficultés présentées par la préparation de la pâte, ces petites lasagnes sont beaucoup plus simples que les raviolis, et le résultat confirme que l'amour et la recherche rendent la cuisine insolite et raffinée. Cette fois, le vin conseillé est le Chardonnay Marzocco de chez Avignonesi.

Pétrissez la farine avec les œufs, l'eau et une pincée de sel. Tout en abaissant la pâte, parsemez-la de calament et coupez-la en 8 carrés d'environ 20 cm de côté. Hachez l'ail et faites-le revenir à l'huile dans une sauteuse. Ajoutez les champignons coupés en fines tranches, couvrez et laissez cuire pendant 5 à 6 minutes. Arrosez de vin et parsemez de persil. Chauffez le lait et faites-y fondre, à feu doux, le pecorino coupé en petits morceaux. Quand le tout est amalgamé, passez la crème au tamis. faites cuire la pâte et, après avoir versé la crème de fromage au fond de chaque assiette, déposez un carré de pâte, nappez-le avec la sauce aux cèpes, couvrez-le avec un second carré, puis nappez-le à nouveau.

INGRÉDIENTS *pour 4 personnes : Pour la pâte : 300 g de farine, 4 œufs, 1 tasse d'eau, 10 g de feuilles de calament finement hachées, sel.*
Pour la farce : 300 g de cèpes nettoyés et lavés, 20 g d'huile d'olive vierge extra, 2 gousses d'ail, 10 g de persil haché, un peu de vin blanc, sel.
Pour la crème : 200 g de pecorino, 100 ml de lait.

Cèpes à la vapeur à la sauce de courgettes et au poireau

À cette saison et dans cette partie de la Toscane, une recette de champignons était indispensable ; de nouveau, Paola nous envoûte avec une de ses célèbres et originales préparations, en l'occurrence particulièrement délicate, qu'il faudra accompagner d'un Vernaccia de San Gimignano de chez Teruzzi et Puthod.

Faites cuire les champignons entiers et salés pendant 6 à 8 minutes à la vapeur. Préparez la sauce en mettant tous les ingrédients dans le bouillon froid. Salez et faites cuire pendant environ 5 minutes, puis passez le tout au mixeur. Coupez le poireau en fines rondelles et faites-le cuire à la vapeur pendant 3 à 4 minutes. Disposez la sauce obtenue au milieu des assiettes, ajoutez-y les cèpes coupés en deux dans le sens de la longueur et décorez-les avec le poireau et la truffe.

INGRÉDIENTS *pour 4 personnes : 4 cèpes bien fermes et bien nettoyés, 200 g de poireau nettoyé, 1 truffe coupée en lamelles, sel. Pour la sauce : 300 g de peau de courgettes, 2 gousses d'ail, 1 louche de bouillon de légumes, 20 g de persil, 20 g d'huile d'olive vierge extra, sel.*

Recettes du restaurant L'Oroscopo, Pieve Vecchia (Sansepolcro), via Togliatti 68, tél. 0575.734875

Recettes du mois de *novembre*

Poitrines de poulet au beurre   page 134

Il est difficile de croire que cette recette, rapide et simple, contient l'un ou l'autre secret. Et pourtant, personne n'est jamais parvenu à préparer des poitrines de poulet comme celles que l'on déguste au Sostanza. Est-ce le charbon de bois ? Est-ce le vieux plat à rôti ? Depuis des années, les poitrines de poulet de cette trattoria sont toujours les mêmes, uniques et inégalables. Giacomo est au fourneau, alors que Siliano, Nicola et Fosco sont toujours entre les vieilles tables de marbre, où se sont assis et s'assoient encore des personnages illustres du monde entier. Comme à l'époque où la trattoria était un vieux débit de boissons, on sert un vin du patron : en l'occurrence, il s'agit d'un exceptionnel Chianti rouge DOC.

Lavez et séchez les poitrines de poulet. Farinez-les et faites-les revenir à feu vif dans le beurre brûlant. Salez-les et, dès qu'elles sont rissolées et croquantes de tous les côtés, servez-les avec le beurre et son écume.

INGRÉDIENTS *pour 4 personnes : 4 poitrines de poulet, 200 g de beurre, 50 g de farine, sel.*

Recettes de la trattoria Il Sostanza, dite Il Troia, Florence, via della Porcellana 25/r, tél. 055.212691

Recettes du mois de *décembre*

Crème de poivrons jaunes   page 145

Je ne transcris pas à la lettre la recette tirée du livre de Benedetta Vitali sur les recettes du Cibreo, mais je tiens à rappeler deux recommandations de l'auteur : la première concerne la manière de hacher ; la seconde, la poêle à frire et à rissoler. Servez-vous d'un hachoir et d'un couteau, et non d'une de ces machines qui réduisent les aliments en bouillie au lieu de les hacher ; pour obtenir une bonne friture à feu doux, il faut une poêle en aluminium ou en cuivre étamé, et non une poêle en acier, qui tend à brûler les aliments. Un Traminer de la maison Antinori est le vin avec lequel Fabio Picchi, au Cibreo, accompagne ce plat.

Hachez finement l'oignon, le céleri et la carotte. Mettez le tout dans une poêle avec l'huile et faites-les dorer Nettoyez les poivrons et épluchez les pommes de terre, lavez-les et coupez-les en gros morceaux. Ajoutez le tout dans la poêle, puis salez. Versez le bouillon de manière à recouvrir les légumes. Couvrez et faites bouillir 20 à 25 minutes. Quand les pommes de terre sont cuites, passez le tout à la moulinette, puis au mixeur. Remettez la crème sur le feu. Avant ébullition, ajoutez le lait et les feuilles de laurier, que vous retirerez au moment de servir. Retirez du feu, puis salez si nécessaire. Veillez à ce que la consistance soit à la fois liquide et crémeuse. Au besoin, réchauffez la crème, de préférence au bain-marie. Au moment de servir, ajoutez un filet d'huile et, si vous voulez, quelques tranches de pain grillé.

INGRÉDIENTS *pour 8 personnes : 4 poivrons jaunes, 4 pommes de terre moyennes, 1 oignon rouge, 1 carotte, 1 côte de céleri, 2 feuilles de laurier, 1 tasse de lait, bouillon de viande, huile d'olive vierge extra, sel.*

Gelée de tomate

Au Cibreo, cette recette fait partie depuis toujours de la vaste gamme des hors-d'œuvre. On la sert avec un grand nombre d'amuse-gueules pour accueillir les hôtes, en l'accompagnant d'un autre grand vin des caves Antinori : le Tignanello.

Passez les tomates à la moulinette et mettez environ deux tasses du liquide obtenu dans un récipient à part. Plongez les feuilles de gélatine dans l'eau froide. Hachez finement l'ail avec le basilic, le persil et le piment. Chauffez les tasses de jus de tomate. Avant ébullition, ajoutez la gélatine et mélangez jusqu'à ce qu'elle soit complètement fondue. Incorporez le reste des tomates, salez, mélangez et versez dans de petits moules individuels. Conservez au réfrigérateur environ 3 heures.

INGRÉDIENTS *pour 8 personnes : 1,5 kg de tomates bien mûres (hors saison, remplacez-les par des tomates pelées de bonne qualité), 2 gousses d'ail, 1 à 2 piments piquants, 200 g d'huile d'olive vierge extra, 40 g de gélatine, une grande quantité de basilic, persil.*

Lapin farci rôti

Désosser un lapin n'est pas facile : il vaut mieux demander au boucher de le préparer. Puis il faudra se munir d'une ficelle, de cure-dents et… de beaucoup de patience ! Nous restons encore dans la région du Chianti avec le vin conseillé par Fabio, qui est, cette fois, le Pergole Torte de Manetti.

Préparez une farce en mélangeant la viande hachée avec la mie de pain précédemment trempée dans le lait, le parmesan, 1 œuf, du sel et un peu de noix muscade. Battez 3 œufs, salez, ajoutez le persil et faites une omelette, qui doit rester onctueuse. Étendez le lapin sur la planche à découper et recouvrez la partie supérieure avec les tranches de jambon. Mettez la farce au milieu du lapin, en formant un cylindre avec les mains. Couvrez-le avec l'omelette coupée en rectangles et disposez sur les feuilles des ciboules préalablement cuites dans l'eau bouillante pendant environ 5 minutes. Repliez sur la farce un des deux côtés restés découverts, puis, avec des cure-dents, fixez l'autre côté. En serrant avec les mains, formez un cylindre d'environ 12 cm. Liez le tout avec la ficelle, puis retirez les cure-dents. Déposez le lapin farci dans un plat avec l'huile, salez si nécessaire et mettez au four à 200 °C. Retournez régulièrement le lapin pour le faire rissoler et, à plusieurs reprises, ajoutez le vin. Il faut que le jus de cuisson reste riche et dense, de manière à pouvoir en disposer pour le verser sur les tranches de lapin au moment de servir.

INGRÉDIENTS *pour 6 personnes : 1 lapin désossé, 300 g de viande de bœuf hachée, 3 tranches de jambon cru doux, 4 œufs, 5 ciboules nouvelles, 80 g de parmesan râpé, 100 g d'huile d'olive vierge extra, environ 1 verre de vin rouge, mie de pain, 1 verre de lait, noix de muscade, persil finement haché, sel, poivre.*

Recettes du restaurant Il Cibreo, Florence, via dei Macci 118r, tél. 055.2341100

Recettes du mois de *janvier*

Pappardelle au lièvre page 164

Ce plat est un vieux plat étrusque : ici, on en respecte heureusement les origines en n'utilisant pas la tomate, qui est utilisée dans tant d'autres restaurants. Un rouge de Montepulciano est un des vins les plus indiqués pour l'accompagner.

Faites mariner le lièvre pendant au moins 12 heures dans le vin rouge avec la moitié de l'oignon, des carottes et du céleri, le laurier et le poivre. Retirez le lièvre de la marinade et égouttez-le. Hachez l'oignon, la carotte et le céleri qui restent, puis mettez le tout dans une poêle avec l'huile et le lièvre. Faites dorer lentement et salez. Quand le tout est bien rissolé, ajoutez plusieurs fois un peu de vin de la marinade, en le laissant s'évaporer à chaque fois. Versez ensuite le bouillon nécessaire pour cuire le tout. Une fois la cuisson terminée, retirez les morceaux de lièvre, désossez-les et, avec les mains, séparez des morceaux plus petits. Remettez-les sur le feu dans leur jus pendant quelques minutes et contrôlez la consistance, qui doit être assez ferme. Faites cuire les pâtes, égouttez-les et faites-les sauter avec le beurre et le jus de lièvre.

INGRÉDIENTS *pour 8 personnes : 650 g de pappardelle à l'œuf, 1 lièvre coupé en morceaux pas trop petits, 1 litre de vin rouge, 40 g de beurre, 100 g d'huile d'olive vierge extra, 1 oignon, 1 carotte, 1 côte de céleri, 2 feuilles de laurier, poivre en grains, sel, bouillon de viande.*

Sanglier à la polenta *page 165*

*L*e sanglier n'est certainement pas un plat facile à cuisiner. Il est au moins indispensable de pouvoir déduire son âge de la couleur de son poil, qui est roussâtre durant les six premiers mois, puis passe au marron, avant d'arriver au noir des animaux de plus de six ans, à éviter à tout prix. Dans ces recettes de Daniele Conti, chef du restaurant de l'hôtel Villa Belvedere, la touche insolite – et tellement peu toscane – apportée par le beurre est le petit secret qui rend la viande plus tendre et moins agressive. Mais pour accompagner le plat, un Brunello de Montalcino reste obligatoire.

Pour la marinade : aux morceaux de sanglier arrosés de vin rouge, ajoutez le vinaigre, la sauge, le laurier, le romarin, l'ail, le genévrier, le poivre, puis laissez mariner pendant 12 heures. Retirez le sanglier de la marinade, égouttez-le et mettez-le dans une poêle avec une partie de l'huile et du beurre. Salez, retirez le liquide qui se sera formé, puis ajoutez un peu du liquide de la marinade, en répétant au moins deux fois cette opération. Après avoir haché l'oignon avec tous les aromates, incorporez-le à la viande avec le reste du beurre et de l'huile. Faites rissoler le tout puis incorporez la tomate et le piment. Faites cuire pendant environ une heure en ajoutant le bouillon en quantité suffisante pour toute la durée de la cuisson. Servez le sanglier bien chaud sur des tranches de polenta grillée.

Ingrédients *pour 6 personnes : 1 kg de sanglier coupé en petits morceaux, 100 g de beurre, 800 g de pulpe de tomate, 100 g d'huile d'olive vierge extra, 1 oignon, 1 carotte, 1 côte de céleri, sel, piment, bouillon de viande, 12 tranches de polenta grillée. Pour la marinade : 2 verres de vin rouge, 2 cuillerées de vinaigre, sauge, 5 feuilles de laurier, 1 branche de romarin, 4 gousses d'ail, 2 à 3 baies de genévrier, poivre en grains.*

Recettes du restaurant de l'hôtel Villa Belvedere, Belvedere (Colle Val d'Elsa), tél. 0577.920966

Recettes du mois de *février*

Salade de crustacés au vinaigre balsamique *page 184*

*C*ette recette, qui paraîtra peut-être banale tant sa préparation est simple, constitue une façon délicate et raffinée de commencer un dîner inoubliable à base de crustacés et de poissons, accompagné des vins les plus prestigieux. Pour la sauce : émulsionnez de l'huile d'olive vierge extra, du jus de citron, du sel et une cuillerée de vinaigre balsamique. Après avoir lavé et coupé la salade et les tomates, mettez tous les poissons dans l'eau froide légèrement salée. Faites-les bouillir pendant 5 minutes, puis égouttez-les. Disposez-les, encore tièdes, sur un lit formé par la roquette et par la chicorée. Parsemez-les de tomates et assaisonnez-les avec la sauce préparée.

Ingrédients *pour 4 personnes : 4 scampis entiers, 4 calmars coupés en lanières, 4 tranches de lotte, 12 queues de scampi décortiquées, 12 squilles, une botte de roquette et une chicorée de Trévise finement hachées, 2 tomates coupées en petits dés.*

Soupe de poisson à la marinière *page 185*

*I*l est peut-être difficile d'imaginer la délicieuse saveur que fournit une préparation aussi simple, mais c'est souvent la simplicité qui donne les meilleurs résultats. Pour accompagner le plat, on peut rester dans cette région de la Toscane et servir un Candia des collines apuanes.

Il est conseillé de se procurer chez le poissonnier un poisson déjà nettoyé et préparé, de manière à ne plus avoir qu'à le laver. Dans une poêle, faites revenir dans l'huile l'ail et le piment. Ajoutez tout le poisson, salez et arrosez de vin blanc. Couvrez et faites cuire pendant 10 minutes. Parsemez le tout de persil et servez avec les tranches de pain.

Ingrédients *pour 4 personnes : 4 scampis, 12 moules, 12 palourdes, 4 calmars coupés en rondelles, 8 squilles, 8 queues de scampi, 8 tranches de lotte, 8 tranches de pain grillé frotté d'ail, ail, piment, persil haché, huile d'olive vierge extra, vin blanc, sel.*

Bar en croûte

*P*our rendre plus simple l'exécution de cette recette, il est conseillé d'acheter la pâte à pain déjà prête chez le boulanger et de faire écailler le bar par le poissonnier. Pour l'accompagner tout en restant en Toscane, rien de mieux qu'un Montecarlo blanc sec.

Avec un rouleau à pâtisserie, abaissez la pâte en deux feuilles qui seront plus larges et plus longues que le poisson d'environ 5 cm par côté. Déposez une des feuilles de pâte sur une feuille d'aluminium, puis mettez le tout sur la plaque du four.

Déposez le poisson sans aucun condiment (même pas le sel) et couvrez-le avec la seconde feuille de pâte. Arrondissez les bords avec les mains en suivant la forme du poisson. Mettez-le au four préchauffé à 250 °C. Après 15 minutes, couvrez-le d'une feuille d'aluminium, puis laissez-le cuire encore pendant 30 minutes environ. Au moment de servir, coupez le pain le long des flancs du poisson, retirez la mie et accompagnez le bar avec de petits morceaux de croûte. La merveille finale, c'est que la croûte n'a pas pris le goût du poisson et que ce dernier est savoureux, même sans sel.

INGRÉDIENTS *pour 4 personnes : 1 bar d'environ 1,2 kg, 500 g de pâte à pain.*

Recettes du restaurant L'Orsa Maggiore, Forte dei Marmi, via Arenile 29, tél. 0584.82219

Soupe d'orge aux petites seiches et aux fleurs de courge *page 177*

Nous sommes dans l'arrière-pays, mais la mer n'est pas loin, et Mamma Franca a mêlé avec imagination les saveurs des champs et du potager avec celles de la mer. Puisque nous nous trouvons dans une œnothèque prestigieuse et bien fournie, c'est Michele, le fils, qui nous conseillera un rosé de Bolgheri, en choisissant le Scalabrone Antinori. Faites cuire l'oignon à l'étouffée avec le piment, puis augmentez le feu et ajoutez les petites seiches. Arrosez de vin blanc sec, puis laissez s'évaporer. Ajoutez les petits pois et l'orge, puis cuisez pendant 40 minutes environ, en versant de temps en temps du bouillon de légumes. Ajoutez le sel, le safran, le fenouil sauvage, l'origan et l'écorce d'orange entière. Faites sauter les fleurs de courge dans une poêle avec un peu d'huile, puis ajoutez-les à la soupe, une fois la cuisson terminée.

INGRÉDIENTS *pour 4 personnes : 200 g d'orge, 400 g de petites seiches nettoyées et coupées en lanières, 10 fleurs de courge, 100 g de petits pois, 1 oignon jaune coupé en fines lamelles, safran, fenouil sauvage, origan, huile d'olive vierge extra, 1 verre de vin blanc sec, bouillon de légumes, sel, piment, 1 écorce d'orange.*

Roulé d'épinards *page 176*

Pour réussir cette recette, il faut l'amour de la cuisine et la patience d'une mère, mais le résultat, qui transforme un plat maison en un délice digne d'un grand chef, vaut bien tous ces efforts. C'est encore Michele qui a choisi, cette fois, un rouge des collines lucquoises : le Palistorti de Valgiano. Blanchissez les pommes de terre, écrasez-les et mélangez-les avec la farine, l'œuf et le sel. Abaissez la pâte sur un torchon, en lui donnant la forme d'un rectangle d'environ 1,5 cm d'épaisseur. Dans une poêle, relevez les épinards avec un peu de beurre, puis mélangez tous les ingrédients. Formez un mélange souple et étendez-le sur le rectangle déjà préparé. Roulez le rectangle, en le serrant dans un torchon, puis nouez les côtés, comme s'il s'agissait d'un bonbon. Mettez le roulé dans l'eau bouillante salée, puis cuisez pendant 25 minutes. Une fois la cuisson terminée, retirez-le de l'eau et laissez-le refroidir. Dénouez le torchon et coupez des tranches d'environ 1 cm d'épaisseur. Disposez les tranches sur un plat, nappez-les avec la sauce tomate et le parmesan, puis mettez-les quelques minutes à four bien chaud.

INGRÉDIENTS *pour 4 personnes : Pour la pâte : 500 g de pommes de terre, 150 g de farine, 1 œuf, sel.*
Pour la farce : 2 boules d'épinards blanchis, 100 g de parmesan et de pecorino, mélangés et râpés, 200 g de ricotta, 1 œuf, beurre, une pincée de noix muscade, sel, poivre.
Pour la cuisson : 500 g de bonne sauce tomate, 4 grosses cuillerées de parmesan râpé.

Gâteau de riz au caramel

Même si cette recette est particulièrement facile à préparer, le résultat surprendra tous les invités. Ce dessert est un délice aux saveurs traditionnelles, qui nous renvoie aux petites joies de l'enfance, quand les gâteaux étaient encore préparés par nos irremplaçables grands-mères. Faites cuire le riz dans le lait et laissez refroidir (l'idéal est de le faire cuire la veille). Faites un caramel dans un plat allant au four de 28 cm de diamètre, puis versez le riz dessus. Battez les jaunes d'œuf avec le sucre et le zeste de citron, ajoutez la crème fraîche, les blancs battus en neige, puis mélangez le tout. Versez ce mélange sur le riz et faites cuire au four à 200 °C pendant environ une heure. Dès que la surface prend une couleur dorée, détachez délicatement le bord du gâteau des parois du plat en glissant une lame, puis remettez au four pendant 5 minutes. Servez le gâteau bien froid.

INGRÉDIENTS *pour 6 personnes : 120 g de riz, 1 litre de lait, 200 g de sucre pour le caramel, 6 œufs, 250 g de sucre, 250 g de crème fraîche, un zeste de citron râpé.*

Recettes du restaurant Enoteca « Marcucci », Pietrasanta, via Garibaldi 40, tél. 0584.791962

Les itinéraires

Itinéraire de *Mars*

Mars : entre Florence et Sienne, collines et bourgs enchantés

1ᵉʳ jour – Samedi
Florence

Une fois à Florence, on prend la direction de Fiesole, en gravissant la colline. À la hauteur du dernier lacet, avant que la route ne bifurque pour rejoindre la place de Fiesole, on découvre la grille de la **villa Bencistà**, entourée d'un grand jardin qui offre une vue sur Florence. Après s'être installé dans une de ses agréables chambres, on se prépare pour le dîner. La demi-pension, qui est obligatoire, ne nous pèsera guère : ici, on a plutôt l'impression d'être chez des amis, et non à l'hôtel.

Villa Bencistà
via Benedetto da Maiano 4
San Domenico
Fiesole, tél. et fax 055.59163

2ᵉ jour – Dimanche
Florence

La saison touristique vient de commencer. Pourquoi ne pas consacrer une journée à la visite de quelques-uns des innombrables trésors de Florence ? On peut commencer par le **Bargello**. Aménagé dans un des plus vieux édifices publics de Florence, qui abritait autrefois la prison de la ville, le Bargello est aujourd'hui l'un des musées les plus importants du monde. Sa collection de sculptures de la Renaissance est extraordinaire : marbres et bronzes de Donatello, de Brunelleschi, de Giambologna, travaux de jeunesse de Michel-Ange, œuvres de Cellini, de Luca della Robbia, auxquels s'ajoute une étonnante collection d'armes, de majoliques, de tapisseries, d'ivoires, de verres, de meubles et de peintures. Après la visite, pour se restaurer, le mieux est de s'arrêter sur la piazza Santa Croce, toute proche, à l'**Eenoteca Boccadama**, qui propose, outre d'excellents vins, de délicieuses assiettes de charcuterie ou de fromages, et des plats chauds d'une qualité remarquable. On gagne ensuite la piazza della Signoria, cœur historique de Florence et splendide galerie d'œuvres d'art en plein air, pour pénétrer dans le **Palazzo Vecchio**. Sa tour élégante, à la silhouette élancée, équilibre l'austère façade du palais qui est l'un des exemples les plus significatifs de l'architecture civile du Moyen Âge en Italie. Siège des autorités communales, résidence des Médicis, puis siège de la Chambre des députés quand Florence était capitale, le palais devint l'hôtel de ville à la fin du XIXᵉ siècle. Par la cour du XVᵉ siècle, remaniée par Michelozzo, on accède au premier étage, qui abrite les « appartements monumentaux », dont la grandiose salle des Cinq Cents. Au deuxième étage, on découvre l'appartement des Éléments, celui d'Éléonore de Tolède, dont la chapelle est ornée des merveilleuses peintures de Bronzino, la salle de l'Audience et la salle des Lys.
En sortant, on se dirige vers la via Calzaioli, que l'on remonte jusqu'à la piazza della Repubblica. Animée, élégante, cœur battant de la vie urbaine, cette place abrite le célèbre café des Giubbe Rosse, qui fut le théâtre d'événements littéraires, de rencontres et de débats intellectuels parmi les plus significatifs du XIXᵉ siècle italien. Ce n'est pas ici que nous prendrons un thé : une fois atteinte la piazza Strozzi, on s'arrête dans le jardin d'hiver de l'**hôtel Helvetia-Bristol**, où l'on est plongé dans l'atmosphère romantique d'une autre époque. On rentre à l'hôtel pour dîner et profiter d'un repos bien mérité.

Musée du Bargello
via del Proconsolo 4
tél. 055.294883
horaires : 8.15-13.50 ;
fermé 1ᵉʳ, 3ᵉ, 5ᵉ dim. et 2ᵉ et 4ᵉ lun.
de chaque mois

Enoteca Boccadama
piazza Santa Croce 25/26
tél. 055.243640
fermé lundi soir

Palazzo Vecchio
piazza della Signoria
tél. 055.2768325
horaires : 9-19 ; jeudi 9-14

Hôtel Helvetia-Bristol
via dei Pescioni 2
tél. 055.287814

3e jour – Lundi
Florence – Fiesole – Settignano – Asciano – Monte Oliveto Maggiore – Bagno Vignoni

Après avoir contemplé Florence une dernière fois depuis une des terrasses de la villa Bencistà, on suit la route sinueuse qui monte jusqu'à Fiesole. Cité étrusque, puis colonie romaine, la ville, perchée sur la colline, fut éclipsée par Florence au Moyen Âge ; mais elle conserve la fierté d'une cité antique, malgré la modestie de ses dimensions. Derrière la piazza Mino da Fiesole, le **Musée archéologique** abrite les vestiges d'un glorieux passé ; le **théâtre romain** est à deux pas : il est si bien conservé que, durant l'été, il continue d'exercer sa fonction originelle en accueillant des spectacles de théâtre, de musique et de danse.

On poursuit en montant à pied jusqu'au couvent San Francesco, le point le plus haut de la ville, où l'on a l'impression d'observer Florence depuis le ciel.

Continuant vers le hameau des Bosconi, on prend la route de Vincigliata : la crête et la colline sont parsemées de villas et de châteaux, dissimulés derrière la végétation. À Montebeni, la route descend rapidement : les perspectives sur Florence changent continuellement, et il est difficile de dire quel est le plus beau panorama. En quelques minutes, on arrive à Settignano. On visite tout de suite le jardin de la **villa Gamberaia**, un des plus importants et des plus romantiques. Cette partie de la colline, qui domine Florence à l'est, est considérée depuis toujours comme la plus évocatrice. D'Annunzio lui-même avait choisi cette campagne tapissée d'oliviers qui descend en pente douce vers la ville : il y vécut dans la célèbre villa de la Capponcina, qui existe encore.

On redescend, puis on remonte au piazzale Michelangelo, étape ultime et obligée où Florence semble littéralement à portée de main. C'est l'heure de déjeuner, et aujourd'hui, on ne se contentera pas d'un casse-croûte : avant de quitter Florence, il faut goûter à la véritable cuisine florentine. Après avoir franchi la Porta Romana, on s'arrête à la trattoria **Pandemonio**, au cœur du quartier San Frediano, sur la rive gauche de l'Arno. L'après-midi, prenant la route de Sienne, on contourne la ville afin de poursuivre en direction d'Arezzo jusqu'à la bifurcation pour Asciano. Nous entrons maintenant dans la région des Crete siennoises, dont le paysage inattendu et plein de charme, dépouillé au point de paraître monotone, change d'aspect et de couleur toutes les heures, tous les jours, toutes les saisons : cette caractéristique en fait le paysage le plus photographié de la Toscane. À Asciano, on prend la direction de Monte Oliveto. Au détour d'un groupe de cyprès, tache noire qui interrompt le paysage des Crete, on distingue une tache rougeâtre : c'est l'**abbaye de Monte Oliveto Maggiore**. Dans ce lieu de retraite spirituelle, les moines offrent le gîte dans leur hôtellerie et vendent des merveilles en tout genre, depuis des livres rares jusqu'aux produits de leur herboristerie. L'intérieur, d'une grande puissance d'évocation, abrite un magnifique réfectoire ; dans le grand cloître, les fresques du Sodoma et de Signorelli racontent la vie de saint Benoît, fondateur de l'ordre.

On continue le parcours en direction de Buonconvento et, par la via Cassia, la vieille route qui reliait Rome et Sienne, on gagne le petit bourg de Bagno Vignoni. C'est un village qui s'est formé autour d'un grand bassin qui recueille des eaux thermales à 52 °C. C'est là qu'au XIVe siècle les Siennois construisirent un village, qui a conservé sa physionomie originelle. Le bassin est toujours à sa place, là même où, dans le passé, on se baignait. Déjà célèbres à l'époque des Étrusques et des Romains, ces eaux ont attiré d'illustres personnages, comme Laurent le Magnifique, Pie II et

Théâtre romain et Musée archéologique
via Portigiani 1
Fiesole, tél. 055.59477
horaires : hiver 9.30-17,
été 9.30-19 ; fermé mardi

Villa Gamberaia
via del Rossellino 72
Settignano, tél. 055.697205
horaires : 9-17 ;
dimanche sur rendez-vous

Trattoria Pandemonio
via del Leone 50/r
Florence, tél. 055.224002
fermé dimanche

Abbaye de Monte Oliveto Maggiore
Chiusure (Asciano)
tél. 0577.707611
horaires : 9-12, 15-17

Catherine de Sienne, à qui sont dédiées les arcades qui donnent sur la place. Aujourd'hui, ces eaux sont également recueillies dans la piscine d'un ensemble hôtelier, l'**hôtel Posta Marcucci**, fréquenté par de nombreuses célébrités ; il offre, à toute saison et à toute heure, la possibilité d'un magnifique bain chaud en plein air. Sans hésiter, plongez dans l'eau en fin de journée et dès le réveil.

Hôtel Posta Marcucci
via Ara Urcea 43
Bagno Vignoni
tél. 0577.887112
fax 0577.887119

4ᵉ jour – Mardi
Bagno Vignoni – Chiusi – Cetona – Monticchiello – Bagno Vignoni

Le matin, après le bain, on quitte Bagno Vignoni. En remontant vers Sienne, on parvient à un carrefour, sur la droite, où un panneau indique la direction de Chianciano. Après cette localité, on continue jusqu'à Chiusi. Perchée sur une colline, la petite ville domine une douce campagne, verte et riante, que les champs de tournesol animent, en juillet, d'un jaune lumineux : c'est un autre des multiples visages de la Toscane. Aujourd'hui, Chiusi vit dans cette tranquillité rurale : il est bien loin le temps de son antique grandeur, quand elle fut la cité étrusque la plus puissante et quand son roi, Porsenna, réussit à soumettre Rome.

Le **Musée archéologique national** rassemble, dans une présentation claire et efficace, un véritable trésor de vestiges étrusques et romains. Sa visite permet de se rendre compte à quel point la civilisation étrusque était avancée : on verra en particulier les céramiques aux formes tellement élégantes et épurées, dignes de figurer dans une exposition d'art contemporain. Par un procédé de cuisson simple mais astucieux, les Étrusques réussirent à mettre au point la technique du bucchero, céramique noire et brillante qui fut appelée le « bronze des pauvres ». Sans en avoir la valeur, elle imitait la couleur et l'éclat du métal, de sorte qu'il est parfois difficile de voir, au premier regard, qu'il s'agit d'une simple terre cuite. À l'entrée du musée, avant de commencer la visite, on prendra un rendez-vous avec le guide qui emmènera voir les tombes de la nécropole. Comme en témoignent la beauté et le nombre des urnes polychromes conservées au musée, les Étrusques accordaient une grande attention au culte de leurs défunts. Le mardi est un des jours où l'on peut visiter la tombe du Singe, la plus belle, qui est ornée de peintures murales. Une fois terminée la promenade entre les tombes, on profitera de la proximité de Cetona pour aller déjeuner au couvent San Francesco, à la **Frateria di Padre Eligio**. C'est la saison où les fabuleux potagers de la communauté établie en ce lieu enchanteur commencent à fournir les produits qui passent entre les mains d'un cuisinier extraordinaire, Walter, puis arrivent sur la table transformés en plats savoureux et raffinés. Après le repas, on se laissera guider par un des jeunes gens pour visiter le couvent : une expérience qui remplira les yeux de beauté et d'émotion.

En reprenant la route de Chianciano, on gagne Monticchiello, en traversant à nouveau le paysage des Crete, où de petites routes sinueuses, bordées de cyprès, interrompent les ondulations de vastes étendues dénudées. Arrivés à destination, on se promène dans les ruelles de ce joli village, célèbre pour les spectacles de théâtre de rue qui y sont organisés en été. Puis on rentre à Bagno Vignoni, à l'hôtel, pour prendre un bain revigorant dans l'eau chaude de la piscine, qui est aussi thérapeutique. Le soir, près du bassin de la place, on goûte aux saveurs typiques de la cuisine toscane à l'**Osteria del Leone**.
Après le dîner, un tour sous les arcades de Santa Caterina nous offrira un magnifique spectacle nocturne : celui des vapeurs qui, montant du bassin, finissent par envelopper tout ce qui l'entoure, rendant l'atmosphère magique et irréelle.

Musée archéologique national
via Porsenna 17
Chiusi, tél. 0578.20177
horaires : 9-20

Frateria di Padre Eligio
couvent San Francesco
Cetona (Chiusi), tél. 0578.238015

Osteria del Leone
via dei Mulini 3
Bagno Vignoni, tél. 0577.887300
fermé lundi

5ᵉ jour – Mercredi
Bagno Vignoni – Sant'Antimo – Montalcino – Pontignano – Colle Val d'Elsa

Le matin, en quittant l'hôtel, il est possible que le parfum des herbes et de la lavande nous attire jusqu'à l'herboristerie **Hortus Mirabilis** ; de même, de bonnes odeurs de fromage nous retiendront probablement à la **Bottega del Cacio**.

Après avoir pris la direction de Castiglione d'Orcia, on passe au pied de l'imposante Rocca d'Orcia, puis on prend la route qui mène à Monte Amiata et, en continuant vers Montalcino, on va en direction de l'**abbaye di Sant'Antimo**.

Cette abbaye, dont la fondation est attribuée à Charlemagne par la légende, fut à la tête d'un des plus grands domaines ecclésiastiques de la région ; mais aujourd'hui, il ne reste que son église. Au fond d'une vallée couverte d'oliviers argentés, elle nous apparaît dans toute sa beauté : on est aussitôt ébloui par la perfection de son architecture, qui paraît davantage le fruit de la spiritualité que de la technique. L'intérieur est encore plus admirable. La luminosité de la pierre, claire et chaude, la délicate perfection des chapiteaux et la simplicité des grandes nefs entretiennent une atmosphère de recueillement et de sérénité. C'est à regret que le visiteur quitte l'église, qui résonne encore de l'écho des chants grégoriens.

Avant d'arriver au village de Montalcino, célèbre dans le monde entier pour son vin, le brunello, on s'arrête à la **Taverna dei Barbi** pour déjeuner et pour visiter la cave de la famille Barbi Colombini, une des plus illustres de la région. Un menu dégustation, naturellement accompagné des vins de la maison, permettra de découvrir les meilleurs crus, depuis le rouge léger jusqu'aux réserves de grande classe.

Après avoir rapidement parcouru le centre de Montalcino, dont les vieilles rues abritent diverses boutiques de spécialités locales, on monte jusqu'à la forteresse pour admirer d'en haut le paysage, vaste étendue de vallées et de vignobles, et pour visiter l'œnothèque **La Fortezza**, où l'on trouvera les vins les plus prestigieux du Brunello, ainsi que d'autres produits artisanaux.

On reprend la via Cassia en direction de Sienne, puis on emprunte la route périphérique, et on sort à Siena-Nord pour suivre la nationale 222 vers Castellina in Chianti ; en suivant la direction de Vagliagli-Corsignano, on arrive au carrefour de Pontignano.

L'itinéraire s'achève avec la visite de l'ancienne **chartreuse de Pontignano**, dont les murs portent la trace des innombrables remaniements subis depuis la fondation, en 1343. Détruite, incendiée, supprimée par le grand-duc Léopold, puis par Napoléon, la chartreuse fut une des plus importantes du grand-duché de Toscane. Elle abrite aujourd'hui un ensemble de cellules et de cloîtres d'époques diverses, des chapelles décorées d'œuvres remarquables, ainsi qu'une église restaurée et ornée de fresques. Longtemps laissée à l'abandon, la chartreuse a été restaurée par l'Université de Sienne. C'est aujourd'hui l'un des ensembles architecturaux les mieux conservés et les plus intéressants du Chianti. L'Université y organise des congrès et des manifestations, en offrant aux participants un logement particulièrement séduisant.

On reprend la route express Sienne-Florence, et on sort à Colle di Val d'Elsa.

Le **Relais della Rovere** se trouve juste à l'entrée de la ville : cette ancienne résidence abbatiale et pontificale, transformée en hôtel, a retrouvé son ancienne splendeur.

On passe ici la dernière soirée de cet itinéraire en dînant dans les vieilles caves du Cardinale, le restaurant de l'hôtel, qui propose des plats toscans typiques, ainsi que les meilleurs vins de la région.

Hortus Mirabilis
Bagno Vignoni

Bottega del Cacio
Bagno Vignoni

Abbaye de Sant'Antimo
Castelnuovo dell'Abate
(Montalcino), tél. 0577.835659
horaires : 10.30-12.30,
15-18.30 (jours ouvrables) ;
9-10.30, 15-18 (jours fériés)

Taverna dei Barbi
Podernovi (Montalcino)
tél. 0577.841200
fermé mardi soir et mercredi

La Fortezza
piazzale Fortezza
Montalcino, tél. 0577.849211
ouvert jusqu'à 18 h

Chartreuse de Pontignano
Pontignano (Sienne)
tél. 0577.356900

Hôtel Relais della Rovere
via Piemonte 10
Colle Val d'Elsa
tél. 0577.924696
fax 0577.924489

Itinéraire d'avril

Avril : une fête de Pâques tranquille, loin de la foule

1er jour – Jeudi
Case di San Romolo

C'est le printemps, et le week-end de Pâques donne lieu aux premières grandes vagues de touristes, qui dénaturent les plus beaux endroits. Pour passer un séjour différent, placé sous le signe de la tranquillité, rien de tel qu'une chambre d'hôte : alors que la journée est consacrée à des activités simples et reposantes, le repas du soir offre l'occasion de s'initier aux secrets de la cuisine familiale dans une maison toscane, en participant à la préparation des plats qui seront servis à table. En arrivant à Florence par le sud, on passe par Bagno a Ripoli, on prend la direction de Rosano puis celle de Case di San Romolo, et on arrive à la **villa Il Monte**. Perchée au sommet d'une colline, elle offre une vue sur Florence, qui, d'ici, paraît déserte et silencieuse. Ce soir, le dîner a déjà été préparé par Franchesca Cianchi, qui nous offre l'apéritif de bienvenue.

Villa Il Monte
via di Fontibucci
Bagno a Ripoli, tél. 055.698113

2e jour – Vendredi
Case di San Romolo – Florence – Montelupo – Florence –
Case di San Romolo

Durant le petit déjeuner, on prépare le menu du dîner. La première étape de la matinée est le **marché de Sant'Ambrogio**, où nous emmène le maître de maison. Ensemble, on choisit les divers produits, d'abord à l'intérieur des halles, chez les bouchers et les charcutiers, puis sous les arcades, devant les étals où sont proposés des légumes tout droit venus de la campagne. Quand les courses sont finies, on prend un café au **Cibreo**, tout proche, puis on s'engage dans la via dei Macci, une des vieilles rues de ce quartier d'artisans qui abrite un grand nombre de restaurateurs de meubles anciens.
Une fois arrivés sur la piazza Santa Croce, on continue dans le borgo du même nom, une autre rue caractéristique de Florence, qui est flanquée de palais et de maisons Renaissance. On traverse ensuite le ponte alle Grazie et, en longeant l'Arno, on se dirige vers le Ponte Vecchio. Il suffira de s'arrêter au numéro 11 du lungarno Torrigiani pour s'offrir un shopping florentin en toute tranquillité : ici, on échappe au tourbillon habituel du tourisme printanier, qui n'est pourtant pas loin. L'atelier **Busatti** fabrique de magnifiques tissus artisanaux en fibres naturelles, comme le coton et le lin : depuis les torchons classiques jusqu'aux tissus les plus raffinés pour la table, le lit et l'ameublement. Tout de suite à gauche, après l'angle, on s'engage dans la via Bardi : au numéro 17, voici **Il Torchio**, un atelier de reliure qui propose des objets en tout genre, fabriqués avec un superbe papier décoré à la main.
Mais la visite la plus insolite est celle que nous réserve l'atelier de **Lorenzo Villoresi**, au numéro 14. Dans un vieux palais, on monte jusqu'au dernier étage pour être reçu dans un petit appartement donnant sur l'Arno, à l'atmosphère pleine de charme, et qui offre une vue saisissante sur le centre historique. C'est ici que Lorenzo, après rendez-vous, étudie, invente et compose votre parfum personnel. Essences, pots-pourris, eaux parfumées : sa collection offre une vaste gamme de produits dédiés au culte de l'odorat. Quand nous serons dans la rue, leurs fragrances continueront à nous suivre.

Marché de Sant'Ambrogio
piazza Ghiberti, Florence

Caffè del Cibreo
via Verrocchio 5r
Florence, tél. 055.2345853

Busatti
lungarno Torrigiani 11r
Florence, tél. 055.2638516

Il Torchio
via dei Bardi 17
Florence, tél. 055.2342862

Lorenzo Villoresi
via dei Bardi 14
Florence, tél. 055.2341187

Un peu plus loin, dans la via San Niccolò, voici la boutique d'un autre personnage étonnant, créateur de bijoux tout aussi surprenants : **Alessandro Dari** est professeur à la faculté d'architecture, enseigne la joaillerie, devient pharmacien pendant la nuit, et durant le temps qui lui reste, invente et réalise des bijoux aux formes les plus originales. Plus loin se trouve **Home Textile Emporium**, un magasin qui présente l'aspect agréable d'un appartement et où Lisa Corti, avec beaucoup de goût et d'habileté, est parvenue à associer les tissus et les couleurs dans les styles les plus divers. De la porta San Niccolò, on prend le viale dei Colli pour admirer la ville depuis le piazzale Michelangelo. On descend ensuite jusqu'à la Porta romana, on emprunte le viale Petrarca, puis la via Pisana. On continue en direction de Pise et, avant d'arriver à Montelupo, au panneau Artimino, on monte jusqu'au **restaurant Da Delfina** : impossible, en particulier au printemps, de ne pas s'arrêter pour goûter à cette cuisine faite d'herbes cueillies dans les champs et de légumes frais du potager. Au début de l'après-midi, on continue jusqu'au vieux bourg de Montelupo pour visiter son **Musée archéologique et de la céramique**, tout aussi charmant qu'intéressant : le musée abrite des vestiges archéologiques et des documents relatifs à l'art de la majolique, transmis depuis des siècles de génération en génération. Aujourd'hui encore, la production de céramiques est la principale activité du village ; de petites entreprises et d'habiles artisans réinterprètent les motifs traditionnels de la céramique locale, qui sont exécutés à la main avec un soin particulier.

Avant de reprendre, à Ginestra Fiorentina, la route express qui nous ramènera à Florence, arrêtons-nous pour visiter l'un de ces ateliers artisanaux qui jalonnent le parcours. Celui de la **Ceramica d'arte Tuscia** reproduit de superbes majoliques des XIIIe au XIXe siècles, magnifique production dont un vaste choix est proposé dans une exposition permanente.

On rentre vite à la villa Il Monte : un moment de détente devant une tasse de thé, et l'on entre dans la cuisine. Les ingrédients du dîner sont passés du marché de Sant'Ambrogio à la table de la maison, les tabliers sont prêts, de même que la maîtresse de maison. On commence à cuisiner ensemble, on observe, on note et on coupe les légumes… Le menu prend forme, et le voilà bientôt prêt pour être dégusté et commenté autour de la grande table commune. Mais il ne faut guère tarder ce soir, car on descend à Grassina pour assister à la spectaculaire procession historique du vendredi saint. Plus de cinq cents figurants, en costume d'époque, perpétuent ce rite qui remonte à la première moitié du XVIIe siècle. Il s'agit d'un spectacle unique en son genre, dont les scènes évoquent la vie du Christ et les étapes de sa Passion, et qui s'achève par la montée au Calvaire.

3e jour – Samedi
*Case di San Romolo – Bagno a Ripoli – Impruneta – Galluzzo –
Case di San Romolo*

Après avoir décidé du menu du soir, on s'arrête aujourd'hui pour acheter des légumes tout frais dans une maison de la campagne voisine. Nous sommes presque en ville, mais Luisa est encore à la campagne et continue à cultiver ses potagers. On reste à l'extérieur de Florence pour se procurer les autres produits au petit marché de quartier, à la boulangerie artisanale et à la vieille boucherie de Bagno a Ripoli. Après avoir déposé les paniers de provisions, on prend la route de Grassina. Après avoir longé les pelouses bordées de cyprès de l'Ugolino, le splendide club de golf de Florence, on arrive à l'embranchement pour Impruneta. Le parcours au sommet de ces collines offre une vue sur des paysages tellement beaux qu'ils nous empêchent parfois de

Alessandro Dari
via San Niccolò 115r
Florence, tél. 055.244747

Home Textile Emporium
via San Niccolò 95
Florence, tél. 055.2469509

Da Delfina
Artimino (Carmignano),
tél. 055.8718074
fermé lundi soir et mardi

Musée archéologique
et de la céramique
via Sinibaldi 45
Montelupo Fiorentino,
tél. 0571.51352
horaires : 9-12

Ceramica d'arte Tuscia
via Chiantigiana 264
Ginestra Fiorentina
tél. 055.8713352

continuer, de peur de les perdre ; tout autour, la magie de la campagne invite à s'arrêter. Nous sommes dans la patrie de la terre cuite, dans une région chargée d'histoire et de traditions. Impruneta est en effet synonyme de terre cuite, et celle-ci a depuis toujours caractérisé l'image de la Toscane. Depuis la coupole de Brunelleschi jusqu'aux toits des habitations rurales ou urbaines, depuis les vasques des citronniers qui, pendant des siècles, ont orné d'illustres jardins jusqu'aux jarres pansues qui ont conservé l'huile parfumée des collines toscanes, tout prend la couleur rouge de cette terre. On rend d'abord visite à **Mario Mariani**, dont l'atelier, équipé d'un four à bois, perpétue les techniques transmises depuis des siècles : on y fabrique des jarres, des vases et des vasques. Puis on entre chez **Sergio Ricceri**, qui conjugue l'art et la tradition pour réaliser ses terres cuites. On termine la visite avec **Ugo Poggi**, dont le four remonte au XVIe siècle et qui reproduit des objets d'art de divers styles et époques, de la période étrusque à la période des Médicis, de la Renaissance au baroque.

Pour se restaurer, à la sortie du bourg, voici le **restaurant Cavallacci**, une maison de campagne dont la terrasse donne sur un paysage de collines verdoyantes. La carte propose un vaste choix, depuis des plats insolites, voire raffinés, jusqu'à une riche gamme de pizzas et de fougasses. Après le repas, on suit les indications qui, à partir de Tavarnuzze, mènent jusqu'au péage autoroutier de Firenze Certosa, qui doit son nom à l'imposant ensemble du XIVe siècle de la **chartreuse du Galluzzo**. On aperçoit sur les pentes du Monte Acuto, ce monastère que Niccolò Acciaioli, fils d'un riche banquier, fit construire pour racheter ses fautes, avant de le donner à la ville de Florence. La chartreuse abrite de splendides œuvres d'art sous de magnifiques formes architecturales. La visite est longue, et la solennité de l'endroit exige un état d'esprit particulier. Après le choc provoqué par l'œuvre du Pontormo, conservée dans la pinacothèque, on est bouleversé par la pureté et la beauté du grand cloître Renaissance, orné des terres cuites vernissées de Giovanni Della Robbia. Les dix-huit cellules des moines, qui donnent sur le cloître, sont de véritables petites maisons individuelles à deux étages, pourvues d'un petit potager, d'un puits et d'un bûcher ; c'est là que les chartreux passaient, dans la solitude, leurs journées consacrées à la prière, au travail et à l'étude. Quand on sort, une grande grille de fer forgé nous salue. On s'éloigne, mais cette impression de paix, de sérénité et de beauté continue de nous accompagner sur le chemin du retour. On rentre à Florence, puis à Case di San Romolo ; après une pause devant une tasse de thé, on passe à la cuisine pour y préparer le repas du soir.

4e jour – Dimanche (Pâques)
Case di San Romolo – Lucques – Case di San Romolo

À Pâques, une grande foule se rassemble à Florence, piazza del Duomo, pour assister au rite traditionnel du « Scoppio del carro » : chaque année, un char tiré par des bœufs et orné de feux d'artifice est amené sur le parvis de la cathédrale. L'archevêque met le feu à une fusée en forme de colombe qui, en glissant sur un câble relié au char, déclenche la mise à feu et provoque une spectaculaire explosion pyrotechnique. Selon le résultat, le vol de la colombe est porteur de bons ou de mauvais présages.

Pour éviter la grande foule, on prend l'autoroute à Firenze-Sud en direction de Bologne, puis on sort à Firenze-Nord et on suit la direction de Lucques.

Lucques est une des villes d'art de Toscane qui échappent au flot des touristes : c'est l'endroit idéal pour un jour de grande affluence. Les murs de la ville, parfaitement

Mario Mariani
via Cappello 29
Impruneta, tél. 055.2011950

Sergio Ricceri
via Fabbiolle 14
Impruneta, tél. 055.2313790

Ugo Poggi
via Imprunetana 16
Impruneta, tél. 055.2011077

Restaurant Cavallacci
via Aldo Moro 3
Impruneta, tél. 055.2313863
fermé lundi

Chartreuse du Galluzzo
Galluzzo (Florence),
tél. 055.2049226
horaires : 9-12, 15-17 ;
fermé lundi

conservés, en ont protégé la vie, la laissant s'écouler, inchangée, selon les rythmes et les habitudes d'autrefois. Nombreux sont les habitants qui, à l'occasion de Pâques, sont partis se reposer dans la Versilia, toute proche : nous trouverons donc la ville très tranquille. Ici, on se déplace à pied ou à vélo et, si l'un des loueurs de bicyclettes qui se trouvent à proximité des portes était ouvert, il serait merveilleux de commencer la visite par une promenade en deux-roues, en suivant le parcours indiqué sur les murs : l'itinéraire offre une vue sur des jardins cachés et sur des ruelles secrètes, ainsi qu'une vision d'ensemble de toutes les merveilles contenues à l'intérieur de cet anneau magique. Sur les places se dressent des églises anciennes, et le long de ruelles étroites et silencieuses apparaissent un peu partout de splendides palais.

La visite des monuments pourrait commencer sur la piazza San Martino par l'église consacrée à saint Martin, et qui est la **cathédrale** de Lucques depuis le VIIIᵉ siècle. Ornée de marbres polychromes, ponctués de logettes, et précédée d'un portique, elle abrite notamment, dans la sacristie, la célèbre tombe d'Ilaria del Carretto, la jeune épouse de Paolo Guinigi, seigneur de Lucques, sculptée par Iacopo della Quercia et considérée par beaucoup comme son chef-d'œuvre. On continue vers la piazza San Michele, entourée de palais médiévaux, dont le palazzo Pretorio, de style Renaissance, et où se dresse la belle église San Michele, dominée par la grande statue de l'archange, qui, les ailes déployées, semble prêt à s'envoler. On s'arrête pour déjeuner, dans une petite rue toute proche, à la **Buca di Sant'Antonio**, dans l'atmosphère accueillante d'un établissement traditionnel qui propose des plats typiques de la cuisine lucquoise. Après le repas, on parcourt la rue principale, le Fillungo, que les autochtones apprécient à la fois pour l'animation qui y règne en permanence et pour les possibilités de shopping. Aujourd'hui, les magasins sont fermés, mais on peut prendre un digestif au vieux **café Di Simo**, rendez-vous depuis toujours des écrivains et des artistes, et qui accueillit en son temps Giovanni Pascoli et Giacomo Puccini.

On continue jusqu'à la piazza del Mercato, aménagée sur l'emplacement de l'amphithéâtre romain dont elle conserve la forme circulaire. Un peu plus loin se dresse l'église San Frediano, dont la façade aux lignes épurées est ornée d'une belle mosaïque. En continuant par une rue bordée de beaux palais baroques, on arrive au **palais Moriconi-Pfanner**, du XVIIIᵉ siècle, où l'on pourra visiter un magnifique jardin orné de fontaines et de statues antiques. On termine cette promenade par la visite de la **maison natale de Giacomo Puccini**, qui abrite un musée consacré au compositeur. On reprend l'autoroute pour rentrer à Florence. Cette journée de Pâques s'est passée tranquillement, et c'est tout aussi tranquillement que l'on prend le repas du soir, non loin de notre table d'hôte, dans une petite trattoria de Villamagna, l'**Antico Forno**.

Cathédrale
piazza San Martino, Lucques
horaires : lundi-vendredi. 9.30-17,
samedi 9.30-18.45, dimanche
9-9.50, 11.30-11.50, 13-17

Restaurant
Buca di Sant'Antonio
via della Cervia 3
Lucques, tél. 0583.55881
fermé dimanche soir et lundi

Café Di Simo
via Fillungo 58
Lucques, tél. 0583.46234

Palais Moriconi-Pfanner
via degli Asili 33, Lucques
horaires : 10-18 ; de novembre
à mars sur réservation

Maison natale de Giacomo
Puccini
corte San Lorenzo 8
Lucques, tél. 0583.584028
fermé lundi, du 1ᵉʳ au 20 janvier,
et du 1ᵉʳ au 10 mars.
horaires : juin-décembre 10-13,
15-18 ; 21 janvier-fin février
10-13, samedi et dimanche 10-13,
15-18 ; 11 mars-fin mai, 10-13,
15-18

Trattoria Antico Forno
via San Romolo 118
Villamagna (Florence)
tél. 055.698197 fermé lundi

5ᵉ jour – Lundi
Case di San Romolo – Greve in Chianti – Montefioralle – Florence

C'est le jour du départ. Après avoir quitté la villa Il Monte, on profite d'un dernier événement : la grande brocante qui se déroule tous les ans, le lundi de Pâques, à Greve in Chianti. Avant d'arriver au péage autoroutier de Firenze-Sud, on sort à droite pour aller prendre la via Chiantigiana ; c'est là que commence un parcours à travers un paysage de douces vallées couvertes de vignobles, de collines hérissées de châteaux, de fermes, de villas et de simples maisons paysannes. L'épaisse végétation de jadis a disparu : le Chianti est aujourd'hui le symbole du bon vivre toscan.

On arrive à Greve, où les éventaires envahissent les rues et la belle place asymétrique : bordée de deux ailes d'arcades surmontées de terrasses fleuries, elle s'élargit d'abord, puis se rétrécit pour encadrer la façade de l'église. Il y a tellement d'étalages, tellement de choses à voir ! Les boutiques installées sous les arcades sont également ouvertes : outre les choses du passé, on y découvrira du linge brodé, des gravures représentant des paysages, ou les saveurs alléchantes des produits du Chianti. Impossible de ne pas s'arrêter à la **boucherie Falorni** : sous un toit de jambons, la charcuterie dégage les parfums les plus variés ; c'est ici que l'on déguste, outre les spécialités à base de sanglier, les meilleurs vins de la région. Après avoir quitté le marché, on monte jusqu'au petit bourg médiéval de Montefioralle, où l'on a l'impression de reculer dans le temps ; de petites maisons aux balcons et aux terrasses fleuries bordent la rue qui longe les murs du château. À la **Taverna del Guerrino** quelques tables offrent une vue sur la vallée : l'agitation est de nouveau bien loin ; familiale, campagnarde, la cuisine vaut par sa simplicité. C'est ici que cet itinéraire de Pâques se termine en beauté.

Boucherie Falorni
piazza Matteotti 69
Greve in Chianti, tél. 055.853029
horaires : 8-13, 15.30-20 ;
dimanche 10-13, 16-19

Restaurant
Taverna del Guerrino
Montefioralle (Greve in Chianti),
tél. 055.853106
de mai à octobre, ouvert du jeudi au
dimanche ; du lundi au mercredi,
uniquement le soir ; du jeudi au
dimanche, toute la journée

Itinéraire de *mai*

Mai : jardins en fleurs des villas de Lucques et de Florence

1er jour – Mercredi
Florence

En arrivant à Florence, on monte jusqu'au piazzale Michelangelo, puis continuer jusqu'à Pian dei Giullari. C'est là que la **villa Poggio San Felice** nous accueillera pour un bref séjour. Livia, la propriétaire, a transformé cette villa en une séduisante table d'hôtes. Comme le suggère son dépliant, il suffit, pour y arriver, de suivre le parfum des roses bordant l'allée qui, à travers des champs d'oliviers séculaires, conduit au jardin romantique du XIXe siècle, à côté du vaste parc. Le grand escalier de pierre claire nous conduira aux chambres dont les noms évoquent des atmosphères familières : chambre des grands-parents, chambres des fleurs, chambre du balcon, chambre des époux.
Tout autour, la campagne est construite comme une œuvre d'art. C'est presque un amphithéâtre où l'architecture et le paysage se fondent parfaitement en révélant le goût d'une époque : voilà le décor extraordinaire des collines de Pian dei Giullari. Dans ce bourg charmant, on dîne chez **Omero**, un restaurant qui apparaît encore comme une boutique de charcuterie, avec les jambons qui pendent et la jarre d'huile. À l'arrière, les tables sont dressées sur la terrasse et dans le petit jardin qui offre une vue sur Florence : le style et l'atmosphère sont encore ceux des vieilles trattorias florentines d'autrefois.

Villa Poggio San Felice
via San Matteo in Arcetri 24
tél. 055.220016
fax 055.2335388

Restaurant Omero
via Pian dei Giullari 11r
tél. 055.220053
fermé mardi

2e jour – Jeudi
Florence

Le matin, dans les sièges en osier de la terrasse, il sera agréable de déjeuner avec des gâteaux préparés selon les recettes traditionnelles. Après le petit déjeuner, on prend le viale dei Colli pour descendre jusqu'à la Porta Romana, puis on continue à pied jusqu'à la piazza Pitti. La matinée sera consacrée à la visite du **palais Pitti**. Siège du pouvoir pendant plus de trois cents ans, il abrite aujourd'hui de prestigieuses œuvres d'art ; une de ses ailes donne accès à l'un des jardins les plus célèbres et les plus importants d'Italie. Le palais a conservé le nom de la famille qui, pour affirmer sa puissance au sein de la société de l'époque, fit construire ce bâtiment qui devait être le plus grand et le plus beau de la ville. Sur un projet original qu'il faut sans doute attribuer à Brunelleschi, le site fut choisi sur une partie de la colline de Boboli, où toutes les constructions antérieures furent détruites. Le projet fut tellement ambitieux qu'il finit par épuiser les ressources des commanditaires, pourtant considérables ; une fois les travaux arrêtés, les Pitti furent obligés de céder le palais aux Médicis, leurs principaux rivaux. Éléonore de Tolède, femme de Cosme Iᵉʳ, en fit sa résidence principale, et au fil des années, le palais devint une demeure somptueuse qui, par ses dimensions et par son décor, pouvait rivaliser avec les plus grandes résidences princières d'Europe. Les œuvres d'art exposées sont tellement nombreuses qu'il est impossible de les voir en une seule matinée. Le **museo degli Argenti** conserve des collections de vases d'époque romaine, d'ambres, de cristaux de roche, de bijoux et de porcelaines, alors que la **galleria Palatina** abrite une succession de salles splendides où sont exposées des œuvres (peintures, statues, fresques) des plus grands artistes du XVIᵉ et XVIIᵉ siècles. Le palais Pitti abrite également les **appartements royaux**, qui se visitent sur rendez-vous : outre la Salle blanche, où se sont déroulés les premiers défilés de mode italiens, il faut mentionner la Salle du trône, la Salle céleste, le Cabinet ovale et le Cabinet rond. Dans le pavillon de la Méridienne, la **galerie du Costume** présente des expositions temporaires et abrite des costumes somptueux et très anciens, parmi lesquels on pourra admirer des habits funéraires, de superbes costumes de théâtre et des tenues de célèbres vedettes de cinéma. Après avoir visité le palais, il faut trouver le temps de passer par le **jardin de Boboli**, magnifique salon à ciel ouvert, orné de plantes en tout genre. Les dieux et les héros de l'Olympe, ainsi que les grandes figures de la mythologie gréco-romaine, prêtent leurs traits aux innombrables statues qui se dressent au milieu des vasques, derrière les surprenants jeux d'eau des fontaines, entre les grottes et les bosquets, créant un décor fabuleux où l'art se confond avec l'histoire, le mythe et l'imagination. On sort des jardins du côté de la via Roma pour rejoindre la via Senese, toute proche, où se trouve la **trattoria Ruggero**, qui a conservé les saveurs authentiques de la cuisine florentine traditionnelle. Après le repas, on remonte au piazzale Michelangelo pour entrer dans le beau **jardin de l'Iris**, unique en son genre, où est organisé chaque année un concours international. Traversant une flambée de couleurs, on se promène entre le vert des oliviers. Florence, ville de l'iris, est à nos pieds : quand vient le printemps, elle ouvre les grilles de ses jardins les plus secrets, s'exhibe dans des expositions et des manifestations dont les fleurs les plus diverses sont les protagonistes, mais où l'iris reste le préféré. La musique est aussi à l'honneur durant le mois de mai. Pendant le **Maggio musicale fiorentino**, tous les théâtres sont ouverts : selon le programme et la disponibilité du moment, on choisira parmi les opéras, les concerts et les ballets qui sont proposés. On rentre à la villa San Felice, mais puisque le temps manque, ce soir, pour préparer un dîner, on se contente d'un repas rapide : qu'on le prenne avant ou après le spectacle, l'**Enoteca Fuoriporta** est un excellent choix.

3ᵉ jour – Vendredi
Florence – Pescia – Segromigno – Capezzano Pianore

Après avoir connu le bonheur magique de loger à Florence, on prend l'autoroute de la mer (A 11), dont on sort à Chiesina Uzzanese pour suivre la route provinciale en direction

Palais Pitti
piazza dei Pitti
tél. 055.294883

Museo degli Argenti
horaires : 8.15-13.50 ; fermé les 2ᵉ, 4ᵉ dim., 1ᵉʳ, 3ᵉ, 5ᵉ lun. du mois

Galleria Palatina
horaires : jours ouvrables 8.15-18.50, fermé lundi

Appartements royaux
horaires : jours ouvrables 8.15-18.50, fermé lundi

Galleria del Costume
horaires : 8.15-13.50 ; fermé les 2ᵉ, 4ᵉ dim., 1ᵉʳ, 3ᵉ, 5ᵉ lun. du mois

Jardin de Boboli
piazza dei Pitti, tél. 055.294883
horaires : 8.15-18.30 ; fermé le premier et le dernier lundi du mois

Trattoria Ruggero
via Senese 89r, tél. 055.220542
fermé mardi et mercredi

Jardin de l'Iris
piazzale Michelangelo
tél. 055.483112
horaires : du 2 au 20 mai, 10-12, 15-19 ; fermé le 1ᵉʳ lundi après la date d'ouverture

Maggio Musicale Fiorentino
presso Teatro Comunale
corso Italia 16, tél. 055.211158

Enoteca Fuoriporta
via Monte alle Croci 10r
tél. 055.2342483 ; fermé dimanche

de Pescia. Après avoir dépassé le village, on arrive à Collodi pour visiter le jardin de la **villa Garzoni**. C'est un jardin très particulier, au fond duquel un double escalier grimpe en pente raide sur la colline. De là, une succession de terrasses, de grottes et de balustrades, d'un bel effet scénographique, conduit au château qui domine les jardins. Après la visite, on gagne le centre de Pescia, où **Cecco** est une halte presque obligée ; c'est l'occasion de goûter ses célèbres asperges, les haricots de Sorana et sa légendaire cioncia (abats de bœuf cuits à l'étouffée avec tomates et fines herbes). Après le repas, on reprend la route de Lucques et, à hauteur de Camigliano, on va vers **la villa Torrigiani**. À partir de Camigliano se succèdent, au pied des collines, de magnifiques villas, entourées de jardins splendides, qui étaient autrefois les résidences d'été de l'ancienne et riche aristocratie de Lucques. Quelque sept cents cyprès bordent l'allée qui mène à la villa Torrigiani : derrière l'imposante grille, le parc apparaît dans toute sa singulière beauté. Entre le XVIe et le XIXe siècle, plusieurs architectes célèbres sont intervenus pour adapter le parc au goût du jour : aux jardins à la française succédèrent les jardins baroques, eux-mêmes supplantés par la mode des époques ultérieures ; toutes ces transformations aboutirent à enrichir le parc, sans rien lui enlever de son charme et de son harmonie. Après avoir visité la villa, qui conserve des meubles et des peintures d'époque, on poursuit en direction de Segromigno in Monte pour arriver à la **villa Mansi**. Le parc de cette demeure lucquoise conserve, outre les caractéristiques du jardin Renaissance, la marque du célèbre architecte Filippo Juvarra, qui y apporta au XVIIIe siècle un grand nombre de modifications importantes. En longeant le plan d'eau, on arrive au grand bassin, entouré de balustrades et de statues ; il faut s'avancer entre les grands arbres, là où l'atmosphère change et devient romantique, pour arriver enfin sur une grande pelouse. C'est l'endroit le plus magique et le plus théâtral : de là, on peut admirer la splendide façade de la villa, qui apparaît tout au fond et qui est mise en valeur par l'immense surface gazonnée. À l'heure de poursuivre le voyage, après avoir dépassé Lucques, on prend la route de Camaiore. À Capezzano Pianore, on s'arrête à la **Locanda del Colle**, maison paysanne restaurée, au milieu des oliviers, qui, de la colline, offre une vue sur la côte de la Versilia ; ses cinq chambres sont tenues avec beaucoup de soin par les propriétaires, Massimo et Riccardo. Non loin de là, le **restaurant La Dogana** nous attend pour le dîner. La gentillesse de Daniele et l'excellence de la cuisine sont là pour achever cette journée en beauté.

4e jour – Samedi
Capezzano Pianore – Seravezza – Pietrasanta – Lido di Camaiore

Le matin, on quitte Capezzano en direction de Seravezza. Michel-Ange y passa trois années de sa vie pour faire construire, à la demande de l'œuvre de la cathédrale de Florence et du pape Léon X, la route qui devait relier à la mer les carrières du mont Altissimo ; et c'est de cette montagne que provient le marbre aux nuances délicates et transparentes dans lequel l'artiste sculpta ses plus belles œuvres. Les carrières de marbre sont un des visages caractéristiques du paysage de la région, où la grisaille des roches et l'épaisseur de la végétation sont interrompues par des brèches blanchâtres, où les pentes des montagnes sont creusées par les détritus de marbre qui descendent jusqu'au fond des vallées. On monte vers le mont Altissimo pour s'arrêter à la **pieve della Capella**, de style roman, d'où l'on aperçoit la première carrière de Michel-Ange, aujourd'hui fermée, ainsi que le panorama spectaculaire du sommet de la montagne. Parfois, il arrive que la petite église ouverte sur le ciel résonne du bruit des marteaux de jeunes sculpteurs qui, du monde entier, viennent ici se perfectionner.

Jardin Garzoni
piazza della Vittoria 1
Collodi, tél. 0572.429590
horaires : 9-19.30

Restaurant Cecco
via F. Forti 96
Pescia, tel 0572.477955
fermé lundi

Villa Torrigiani
via Gamberaio 3
Santa Gemma (Camigliano,Lucques)
tél. 0583.928041
horaires : du 1er mars au 2e dimanche
de novembre, 10-12.30, 15-19 ;
de décembre à février sur rendez-vous

Villa Mansi
via Selvette 242
Segromigno in Monte
tél. 0583.920234
horaires : 10-18 ; fermé lundi

Locanda del Colle
Santa Lucia (Capezzano Pianore)
tél. 0584.915195

Restaurant La Dogana
via Sarzanese 442
Capezzano Pianore
tél. 0584.915159 ; fermé mercredi

Pieve della Cappella
Azzano (Seravezza)

En rentrant à Seravezza, on visite le **palais Mediceo**. Construit au XVIIe siècle par Ammannati, ce palais fut la résidence d'été de Cosme Ier, qui avait choisi cette localité pour la salubrité de son climat. Outre des expositions temporaires de peinture, il abrite aujourd'hui un musée consacré à l'histoire des carriers, à leur vie et à leurs traditions. À quelques kilomètres de là, Pietrasanta nous offre la possibilité de prendre un repas rapide au **Gatto Nero**, un établissement logé dans le mur d'enceinte de la ville, où Alessandro nous régalera avec ses délicieuses quenelles et ses plats savoureux. On se passera néanmoins du café, parce qu'il faut profiter de cette halte pour passer la porte d'enceinte, juste à côté, et s'arrêter dans un des établissements de la superbe piazza del Duomo. De Pietrasanta, on prend la via Aurelia en direction de Viareggio, pour gagner Lido di Camaiore, où l'on entre dans le jardin du **Club dei Pini**. Cette villa où vécut jadis Galileo Chini est aujourd'hui un hôtel, mais presque tout est resté en l'état. Petite-fille de l'artiste, Paola habite à côté : elle est une gardienne active et enthousiaste de tout ce qui concerne son illustre grand-père. Après avoir pris possession des chambres, on peut même visiter l'atelier du maître ; on y verra quelques-unes de ses céramiques de style Art nouveau, dont Galileo Chini fut un des représentants les plus éclectiques ; connu en Italie sous le nom de style Liberty, ce grand mouvement, qui toucha à la fois la peinture, la sculpture, l'architecture et les arts appliqués, commença à se répandre dans la péninsule au début du XXe siècle. On ira se promener, éventuellement à bicyclette, le long de la plage de Viareggio, où triomphe justement le style Liberty : coupoles, toitures, balustrades, frises et céramiques décorent les édifices ; notre artiste est intervenu dans d'innombrables décors, tantôt floraux, tantôt figuratifs, qui recouvrent les façades.

Nous sommes arrivés au terme de ce parcours, et les saveurs de la dernière soirée dans la Versilia doivent rester inoubliables. Aussi est-il prévu de dîner chez **Lorenzo**, à Forte dei Marmi : sa cuisine raffinée restera pendant longtemps gravée dans notre mémoire.

Palais Mediceo
via del Palazzo 1
Seravezza, tél. 0584.756100
horaires : juin-septembre, 16-22,
octobre-mai, 15-19.30 ; fermé lundi

Restaurant Gatto Nero
piazza Carducci 32
Pietrasanta, tél. 0584.70135
fermé dimanche

Hôtel Club dei Pini
via Roma 43
Lido di Camaiore,
tél. 0584.66103

Restaurant Lorenzo
via Carducci 61
Forte dei Marmi, tél. 0584.84030
fermé le lundi ; 1er juillet-31 août,
ouvert uniquement le soir

Itinéraire de *juin*

Juin : parfums, couleurs et saveurs de l'île du Giglio

1er jour – Samedi
Cosa – Porto Santo Stefano – Île du Giglio

Avant d'arriver à Porto Santo Stefano, on passera par le promontoire d'Ansedonia, qui n'est pas loin, pour visiter les ruines de **Cosa**, une ancienne colonie romaine. Les restes du mur d'enceinte, ainsi que les vestiges des édifices publics, des tours et des temples témoignent de l'importance et de l'antique splendeur de cette ville qui dominait la mer du haut de sa colline. En face, le monte Argentario, qui était jadis une île, est aujourd'hui rattaché à la terre ferme par trois minces cordons de dunes, enserrant une grande lagune, qui portent les noms de tombolo della Feniglia, à l'est, et de tombolo della Giannella, à l'ouest. Au fil du temps et avec l'aide de l'homme, la longue plage dorée de la Feniglia s'est couverte de pins maritimes et d'un épais maquis méditerranéen qui abrite une faune abondante : daims et lapins sauvages, goélands argentés, cormorans, hérons et beaucoup d'autres espèces d'oiseaux.

Site archéologique de Cosa
tél. 0564.881421
horaires : de 9 h au coucher du soleil,
tous les jours

Située au milieu de la lagune, sur le *tombolo* interrompu, et rattachée artificiellement au Monte Argentario, voici Orbetello, ancienne cité étrusque qui fut le théâtre d'un nombre étonnant d'invasions et de conflits, et qui fut placée à la tête des présides de Toscane sous l'occupation espagnole.

Après avoir dépassé Orbetello, on longe la côte bordée de grands palmiers pour gagner Porto Santo Stefano, où on déjeune au **restaurant Il Veliero**. C'est notre premier contact avec la cuisine de la Maremme : le poisson s'impose, d'autant qu'ici les produits de la pêche passent directement du bateau du père à la poêle des enfants qui tiennent l'établissement. On descend au port prendre le bateau qui part, en cette saison, presque toutes les heures. La traversée n'est pas longue : Giglio Porto apparaît bientôt, dans une petite baie. Le port a plutôt l'apparence d'un décor : une rangée de maisons colorées fait office de mur de scène, alors que sur les côtés, un phare rouge et un phare vert gardent l'entrée comme des sentinelles. Sur la jetée, Ruggero, connu sous le nom de Ruggerone, nous attend pour nous conduire jusqu'à l'hôtel **Pardini's Hermitage**. Situé à Cala degli Alberi, il occupe une villa qui n'est accessible qu'en bateau et qui ne peut accueillir que vingt-cinq personnes. Celui qui y loge fait le choix de passer des vacances différentes, dans une tranquillité absolue, en vivant avec les autres hôtes et les propriétaires comme au sein d'une grande famille. Un apéritif avant le dîner pour commencer à se connaître, un repas convivial qui se termine par un verre de bon vin. On bavarde, on écoute de la musique : l'harmonie est parfaite.

Restaurant Il Veliero
via Panoramica 149
Porto Santo Stefano
tél. 0564.812226
fermé mercredi

Pardini's Hermitage
Cala degli Alberi
Île du Giglio
tél. 0564.809034
fax 0564.809177

2ᵉ jour – Dimanche
Île du Giglio

Le réveil est peut-être le moment le plus beau : quand la fenêtre est ouverte sur l'étendue bleue de la mer et le parfum des jardins. Aujourd'hui, la foule du dimanche déferle partout ailleurs : c'est avec plus de bonheur encore que l'on profite de cet isolement magique pour passer la journée à l'hôtel, découvrir toutes les possibilités qu'il nous offre, nous baigner dans l'eau cristalline de la petite baie. Après le repas, Ghigo Pardini, le propriétaire, nous propose diverses activités pour égayer ces vacances : suivre les cours d'aquarelle ou de céramique, en s'offrant le plaisir de dessiner, de décorer et de cuire au four ses propres œuvres ; se détendre au moyen de massages thérapeutiques, des bains de boue ou des séances de méditation, plongés dans la lumière et les parfums de la mer et du maquis méditerranéen. Enfin, l'hôtel met à la disposition de ses hôtes du matériel de fitness, des jeux divers, des instruments de musique, ainsi que des ânes qui permettent d'explorer l'île en suivant ses sentiers. Le temps passe vite, le soir tombe déjà : on bavarde en prenant l'apéritif sur la petite terrasse qui surplombe la mer ; c'est là que nous reviendrons après le dîner pour boire un dernier verre en regardant les étoiles.

3ᵉ jour – Lundi
Île du Giglio

Après le petit déjeuner, chacun consacrera la matinée à l'activité de son choix ou à son sport préféré. Après le lunch sur la terrasse, on gagne le port avec le bateau de l'hôtel. La foule du week-end a disparu, l'île a repris son rythme, et son décor est à nouveau tranquille. On va à pied, en longeant la route, jusqu'à la plage de l'Arenella. Des pointes rocheuses alternent avec le vert du maquis, interrompu par les couleurs des fleurs et par les taches jaunes d'un genêt retardataire ; tantôt verte, tantôt bleue, la mer peut rivaliser avec la mer des Antilles par ses couleurs et sa transparence.

On rentre au port où les bars, les magasins, et les boutiques commencent à s'animer ; les commerçants attendent les clients sur le pas de leur porte. Flânant parmi les articles de mode, les objets d'ameublement et les produits du terroir, on arrive à l'extrémité de la promenade du bord de mer, près de l'hôtel Demo's. On réussit à trouver **Giovanni Cavero**, qui n'a pas d'adresse précise, mais qui est l'une des figures les plus connues de l'île : l'artiste de la céramique et de la terre cuite réussit à reproduire en argile non seulement les objets, mais aussi des scènes de la vie quotidienne et des personnages de son île. En attendant Ruggero et son bateau, on boit un verre dans un des bars situés devant l'embarcadère, puis on rentre à l'hôtel pour attendre l'heure du dîner en se laissant baigner par la lumière dorée du crépuscule.

Giovanni Cavero
Giglio Porto
tél. 0564.809520

4e jour – Mardi
Île du Giglio

Outre son hôtel et une exploitation agricole où il cultive des légumes en tout genre, Ghigo Pardini possède un élevage de chèvres qui lui permet de fabriquer du fromage et du yaourt ; depuis de nombreuses années, il élève des ânes qui appartiennent à une espèce toscane en voie d'extinction et qu'il met à la disposition de ses hôtes. Nous avons certainement déjà goûté son délicieux yaourt, au petit déjeuner, de même que ses légumes et ses fromages : parmi les plaisirs offerts par ce séjour, il ne nous manque donc qu'une promenade à dos d'âne. Après les activités du matin et un bon déjeuner, on part avec âne et accompagnateur en direction du phare de Capel Rosso. Les sentiers serpentent entre les bruyères en fleurs, entre les genêts et les touffes odoriférantes de myrte et de lentisque, dans un environnement préservé où seules les terrasses plantées de vigne, au bord des falaises, trahissent l'intervention de l'homme. L'escarpement de leurs pentes témoigne de la dureté du travail sur cette terre qui est si belle, mais si difficile, et qui depuis les temps les plus anciens produit le légendaire vin blanc du Giglio : l'Ansonica. On arrive à Capel Rosso, le point le plus méridional de l'île. Les spectaculaires roches dorées de la côte descendent en pente raide dans la mer, qui est ici d'un bleu profond ; et voici le phare avec son gardien, qui vit là avec sa femme et quelques animaux domestiques, et qui sera bien content de faire un brin de causette en racontant les gestes et les petites choses qui composent ses journées. Nous reprenons le sentier : il faut environ une heure pour rentrer à l'hôtel. Pour conclure cette expérience particulière, difficile à oublier, nous pouvons marcher ou continuer à dos d'âne. Ce soir, durant le dîner, nous dégusterons notre verre d'Ansonica de façon différente, en l'appréciant davantage.

5e jour – Mercredi
Île du Giglio

Après nous être livrés à nos passe-temps habituels, nous nous rendons au port avant le déjeuner. C'est là que nous attend **Marina Aldi**, une guide locale qui nous accompagnera durant la visite de Giglio Castello. En bus, nous montons vers le bourg, perché au sommet du promontoire. La route serpente en pente raide et, à chaque virage, nous découvrons de merveilleuses criques, des langues de sable, des terrasses couvertes de vignes, des rochers aux formes bizarres. À mesure que l'on monte, un monde agricole archaïque se substitue au monde maritime du port. La porte percée dans l'enceinte médiévale donne accès à un dédale de ruelles, d'escaliers et d'arcs ; rien n'a changé, et le temps semble s'être arrêté à l'époque où tous les habitants de l'île se réfugiaient ici pour échapper aux attaques des Sarrasins. Une fois dans le centre historique, on

Marina Aldi
Giglio Porto
tél. 0564.806096
portable 338.1456011

s'arrête pour déjeuner chez **Maria**, dont le restaurant est aujourd'hui une véritable institution. Il sera difficile d'oublier ses plats, et la vue dont on jouit depuis le restaurant. À table, Maria ne manquera pas de raconter l'histoire singulière et tourmentée de cette île ; après le repas, elle continuera son récit en nous emmenant à travers les ruelles du bourg, désert et endormi à cette heure-là, pour nous conduire jusqu'à la délicieuse place qui s'étend au pied du château. On peut alors essayer de téléphoner à **Bruno Caponi**, un artiste bourru mais sympathique qui, parfois, est disposé à montrer ses toiles et son atelier, aménagé dans une vieille tour de guet de l'enceinte. Un peu plus tard, le bourg se réveille : assis devant sa porte, Mario tresse des paniers et des corbeilles. La boutique de Vincenzo est déjà ouverte : pour fabriquer ses objets raffinés, l'artisan a choisi de s'installer dans trois vieilles caves, pleines de charme. Avant de rentrer au port, on descend à la plage de Campese : fermée par une grosse tour du XVIᵉ siècle d'un côté, par un îlot rocheux et un village de pêcheurs de l'autre, la plage est sans doute l'endroit le plus touristique de l'archipel, mais c'est aussi le plus beau. À notre arrivée à l'hôtel, le barbecue préparé dans le jardin pour ce soir est l'agréable surprise qui clôture cette journée.

Restaurant Da Maria
via Casamatta 12
Giglio Castello, tél. 0564.806062

Bruno Caponi
Giglio Castello, tél.349.7702699

6ᵉ jour – Jeudi
Île du Giglio – Île de Giannutri – Île du Giglio

Après le petit déjeuner, on rejoint le port pour une excursion à Giannutri. Le temps de la traversée passe vite, et voici qu'apparaît l'une des plus petites îles de l'archipel, qui présente la forme d'un croissant de lune : les Grecs l'avaient nommée Artemisia, en l'honneur d'Artémis, déesse de la chasse, de la végétation et… de la lune. Giannutri est aujourd'hui encore une île privée, un petit paradis sans route, jaloux de ses trésors : nature et silence. On débarque à Cala Spalmatoio, qui, avec Cala Maestra, est un des deux endroits où l'on peut accoster. Quelques maisons, quelques commerces et un restaurant logé dans une tour, qui n'ouvre qu'en haute saison : c'est tout ce qui constitue le centre principal. Des sentiers bordés par les pins et le maquis méditerranéen sont les seuls passages qui permettent d'atteindre les endroits les plus évocateurs, où vivent encore diverses espèces d'oiseaux marins. En suivant un de ces sentiers, on arrive sur les falaises fleuries de Cala Maestra et, un peu plus loin entre les pins, on découvre de frêles colonnes de marbre, des chapiteaux corinthiens, des restes de mosaïques et des allées dallées : ce sont les vestiges d'une riche et élégante villa romaine construite par la puissante famille des Domizi Enobarbi. On se baigne dans l'eau couleur cobalt de Cala Maestra. Entretemps, Giuseppe, l'aimable propriétaire de la **Taverna del Granduca**, nous a réservé une table. Autour de Giannutri, les eaux sont encore poissonneuses : c'est le bon poisson de l'endroit qui nous sera servi. Quand l'heure de repartir est arrivée, nous regagnons le bateau pour rentrer à l'hôtel assez tôt. L'apéritif et le dîner seront de nouveau l'occasion d'échanger les impressions de la journée et de commenter les moments forts de l'excursion.

Restaurant
La Taverna del Granduca
Cala Maestra
Giannutri, tél. 0564.898421

7ᵉ jour – Vendredi
Île du Giglio

Nous sommes arrivés à la fin de notre séjour : chacun décidera à sa guise comment passer cette dernière journée. Les uns finiront leur aquarelle, les autres iront cuisiner, les autres encore se feront masser ; on peut aussi se promener sur les sentiers à dos d'âne, s'allonger paresseusement au soleil, prendre le bateau pour aller se baigner à la plage des Cannelle ou à celle des Caldane, que nous n'avons vues qu'en passant, ou encore se rendre au port pour faire du shopping. Ce soir, ce sera le dîner d'adieu : un menu hors du commun accompagné de musique, de chants et de cette atmosphère particulière que les Pardini ont réussi à créer.

8ᵉ jour – Samedi
Île du Giglio – Porto Santo Stefano

Un dernier yaourt de chèvre, un dernier regard pour se remplir les yeux d'azur, puis les adieux… heureusement, le temps est beau, et Ruggerone nous attend déjà pour nous emmener au port. Le bateau de Porto Santo Stefano est arrivé : la foule habituelle des week-ends débarque de nouveau. Au retour, le bateau est presque vide, et ce calme nous permet de goûter une dernière fois le silence, la quiétude et la beauté de l'île, alors que nous regrettons de la voir disparaître à l'horizon.

Itinéraire de *juillet*
Juillet : la passion du Palio et les silences de ses terres

1ᵉʳ jour – 30 juin
Sienne

On arrive à Sienne au début de l'après-midi. Deux possibilités d'hébergement, qu'il faudra examiner quelques mois à l'avance : la **chartreuse de Maggiano**, splendide hôtel Relais & Châteaux situé sur la colline, non loin de la Porta Romana ; ou l'ancien **palais Ravizza**, un hôtel situé en plein centre de la ville. Tous les deux ont en commun le charme des lieux et la qualité de la cuisine, deux caractéristiques indispensables pour avoir des moments agréables après des journées d'une grande intensité. Il vous reste à choisir entre l'atmosphère luxueuse et raffinée d'une des plus vieilles chartreuses de Toscane, habilement restaurée et transformée en hôtel cinq étoiles, d'une part, et le confort d'une belle demeure devenue un excellent trois étoiles. On ne peut pas venir à Sienne pour n'y voir que le Palio, pour assister à cette minute de course qui ne représente que le point culminant d'une fête extraordinaire. Le Palio est, pour notre époque, un miracle : pour le comprendre, il faut au moins assister aux derniers préparatifs. Après s'être installé à l'hôtel, on essaie de parvenir jusqu'au Campo. La place est déjà recouverte de terre, et la phrase habituelle *« c'è la terra in piazza »* est déjà sur toutes les lèvres. Hier, c'était le jour du tirage au sort : les chevaux des éliminatoires, montés à cru par les cavaliers et choisis par les capitaines, ont été tirés au sort et attribués aux différents quartiers. Ces quartiers, héritiers des anciennes divisions administratives de la ville, sont aujourd'hui au nombre de dix-sept, mais au XIIIᵉ siècle, ils étaient presque une centaine. Chaque quartier constituait une entité autonome, organisée autour d'une paroisse, et garantissait à ses membres tous les services qui relevaient en principe de la compétence de la ville et du prince. Aujourd'hui encore, chaque quartier forme une entité autonome, dirigée par un « prieur » ; durant les journées du Palio, il est placé sous l'autorité d'un « capitaine », élu par le peuple. Tous les ans, le Palio se déroule le 2 juillet et le 16 août. La première fois, seuls dix quartiers participent à la course ; les autres le font indirectement en

Hôtel Certosa di Maggiano
strada di Certosa 82
Sienne, tél. 0577.288180
fax 0577.288189

Hôtel Palazzo Ravizza
pian dei Mantellini 34
Sienne, tel. 0577.280462
fax 0577.221597

aidant les quartiers amis : c'est la défaite de l'équipe rivale qui est en effet l'objectif le plus important, plus important que la victoire elle-même. Avant d'être complètement absorbés par le Palio et par les manifestations qui lui sont associées, saisissons l'occasion de visiter tout de suite le **Museo civico**, situé à l'intérieur du Palazzo pubblico, de manière à ne pas quitter Sienne sans avoir vu au moins une de ses merveilles. Aujourd'hui, deux galops d'essai ont déjà été organisés en vue du Palio, mais on peut prendre un apéritif dans les bars du Campo. Les tables sont de nouveau dressées sur la terre ; l'atmosphère est déjà tendue, et l'on éprouve un soupçon d'émotion en observant à quel point les visages des Siennois trahissent déjà l'espoir ou la déception, dès le premier galop d'essai du cheval attribué par le sort, que l'on ne pourra plus changer. Pour le dîner, il faudra réserver bien à l'avance au **restaurant Le Logge**, situé à deux pas, dans une ruelle derrière la place. C'est un établissement caractéristique et agréable, où les plats traditionnels ont été renouvelés et où l'on sert un bon Brunello, produit directement par le propriétaire.

Museo civico
piazza del Campo 1
Sienne, tél. 0577.292226
horaires : novembre-15 mars
10-18.30 ; 16 mars-fin octobre
10-19 ; juillet-août 10-23

Restaurant Le Logge
via Porrione 33
Sienne, tél. 0577.480113
fermé dimanche

2ᵉ jour – 1ᵉʳ juillet
Sienne – Abbaye de San Galgano – Sienne

Ce matin, on choisit le quartier avec lequel on désire vivre cette expérience et le choix tombe sur le **quartier de l'Escargot**, *la contrada della Chiocciola*. Son nom est resté le même depuis le XVᵉ siècle ; ses couleurs sont le jaune et le rouge avec des bordures bleu foncé ; sa devise, qui symbolise la prudence, est : « D'un pas lent et lourd, l'Escargot descend sur la place pour triompher ». Le quartier occupe le second rang au nombre des victoires : la première remonte à 1661. Son quartier rival, c'est le quartier de la Tortue, *la Tortuca*, alors que ses quartiers alliés sont la Chenille, *il Bruco*, le Hérisson, *l'Istrice*, la Panthère, *la Pantera*, et la Forêt, *la Selva*. Peut-être est-ce la longue table que l'on prépare déjà pour le repas de ce soir, dans la via San Marco, qui nous a poussés à choisir ce quartier ? Au bout de cette rue qui monte, une petite église se dresse à l'angle d'une fourche. Jusqu'au début du XXᵉ siècle, les gens du quartier se réunissaient dans ce petit sanctuaire consacré à la Vierge du Rosaire. Quand il fut désaffecté, il est devenu la maison du cheval. C'est là que nous trouvons le « Barbaresque », l'homme à qui l'on a confié le cheval de l'Escargot ; après avoir dormi avec le précieux animal, il est occupé à le préparer pour le galop d'essai du matin, sous l'œil des habitants du quartier.

Après être passé au siège du quartier pour réserver les places pour le dîner, organisé dans les quartiers à la veille du grand événement, on visite le musée. Chaque quartier a le sien : il serait intéressant de les visiter tous, mais il en suffira d'un seul pour comprendre le caractère de cette population, ainsi que la fierté d'une tradition qui n'est pas seulement un jeu, mais aussi un symbole d'une culture jalousement conservée. En parcourant des rues bruyantes et pavoisées, on parvient jusqu'au centre pour découvrir, ne fût-ce qu'un instant, la ville de tous les jours, en commençant par les beaux palais et les magasins de luxe de la via di Città. Au numéro 61, le magasin **Siena Ricama** vend des abat-jour et d'autres articles où sont reproduits en broderie de célèbres œuvres d'art ; un peu plus loin, au 71, la **drogheria Manganelli** propose les spécialités régionales les plus raffinées ; au 96, le **Negozio dell'Arte** expose des majoliques et des céramiques ; au 115, les **Antiche Dimore** vendent des tissus et du linge de maison brodé. Dans la via Banchi di Sopra, un café chez **Nannini** s'impose, et l'on ne peut sortir de la célèbre pâtisserie sans avoir acheté un panforte et des ricciarelli, les deux gâteaux qui sont les spécialités de Sienne. On arrive au palais Tolomei, le plus ancien des palais privés

Contrada della Chiocciola
via San Marco 33
Sienne, tél. 0577.45455

de la ville, puis on revient en arrière en remontant la via delle Terme. Au numéro 86, nous trouvons chez **Bien Vivre** toutes les nouveautés pour la maison, alors qu'au numéro 20, **La Cravatta Bianca** offre un vaste choix de cravates de sa propre fabrication. Aujourd'hui, on rentre à l'hôtel pour déjeuner et pour se reposer un moment. L'après-midi, on quitte Sienne pour visiter un endroit très particulier. On prend la route de Grosseto, puis la direction de San Lorenzo a Merse, et de Monticiano : l'**abbaye de San Galgano** n'est pas loin. Ce remarquable exemple de style gothique cistercien se dresse au milieu d'une verte clairière. Le toit, les voûtes et le clocher se sont effondrés, mais de lourds piliers soutiennent encore les arcs des trois nefs intérieures, qui ont le ciel bleu pour toit et un tapis d'herbe pour pavement. La lumière du soleil pénètre à travers les fenêtres, alors que des zones d'ombre sont créées par les arcades et par les colonnes. À côté, dans l'abbaye, il reste une partie du cloître et la grande salle capitulaire, dépouillée mais intacte, dont le plafond est peint d'un délicat motif monochrome. Mais la visite ne s'arrête pas à l'abbaye : sur la colline de Montesiepi, toute proche, se dresse une singulière construction de plan circulaire : une petite église qui fut érigée à la fin du XIIIe siècle pour abriter, sous les arcs composés en alternance de terre cuite et de travertin, le rocher d'où dépasse la garde d'une épée. La légende veut que le noble Galgano Guidotti planta son épée dans ce rocher en signe de renoncement à la vie militaire et terrestre ; c'est devant cette garde en forme de croix qu'il mourut, après avoir vécu ses dernières années dans la pénitence et la solitude. Au début du XIVe siècle, l'église fut décorée de fresques par Ambrogio Lorenzetti.

On rentre en passant par Frosini, Rosia et Sovicille. On se repose à l'hôtel avant de se diriger vers le quartier de l'Escargot pour dîner. De nouveau, nous sommes plongés dans une atmosphère bruyante et colorée. Après avoir passé quelques heures dans le silence presque religieux de la campagne, nous nous sentons un peu dépaysés au milieu de l'agitation provoquée par la répétition générale. C'est dans ce climat d'excitation et de fête que les longues tables qui envahissent les rues commencent à se remplir. C'est un spectacle dans le spectacle : les habitants du quartier et leurs hôtes sont réunis pour écouter successivement le prieur, le capitaine et le cavalier, qui peut encore être remplacé à la dernière minute. C'est un moment d'espoir et d'inquiétude, partagé entre l'attente d'une grande joie et la crainte d'une grande déception ; c'est un moment, en tout cas, que l'on vit tous ensemble, en chantant, en buvant, en priant. On invoque la Vierge et le saint protecteur ; on conjure le mauvais sort par des gestes superstitieux. Pour les Siennois, c'est la nuit qui précède une journée extraordinaire, la plus belle nuit de l'année, qu'il faut vivre dans toute son intensité.

3e jour – 2 juillet
Sienne

À huit heures, « Sunto », la cloche de la tour du Mangia, annonce l'exceptionnelle journée : c'est une des rares occasions où le bourdon se fait entendre. L'archevêque célèbre la messe au pied de la tour, en présence des cavaliers, des capitaines et des accompagnateurs ; il demandera à la Vierge de protéger les hommes et les animaux en vue de la course. La messe est suivie par le dernier galop d'essai, puis, en présence du maire, les cavaliers sont répartis entre les quartiers et présentent leur casaque : une fois qu'ils l'auront endossée, tout échange sera impossible. Vient alors le moment des accords et des propositions : les chiffres et les promesses volent, tandis que des jeunes gens déchaînés défilent en cortège pour célébrer leur quartier et promettre, en hurlant, les pires malheurs à leur adversaire. On va visiter la **cathédrale** et la

Abbaye de San Galgano
Chiusdino, tél. 0577.756738
toujours ouverte

magnifique **bibliothèque Piccolomini**, située à l'intérieur. À côté, le **Musée de l'œuvre de la cathédrale** abrite l'extraordinaire Maestà, chef-d'œuvre de Duccio di Buoninsegna, chef de file de l'école siennoise. On rentre à l'hôtel pour déjeuner, pour fuir l'agitation de la ville et se reposer. Au début de l'après-midi, la grosse cloche sonne à nouveau pour inviter les jeunes gens auxquels revient ce grand honneur d'enfiler les riches costumes avec lesquels ils participeront au cortège historique. Entretemps, dans l'oratoire du quartier, commence la cérémonie de bénédiction du cheval ; le cri du prêtre résonne au milieu de l'émotion générale : « va et rentre vainqueur ! ». La comparsa, le groupe des jeunes gens qui ont enfilé les costumes, quitte le quartier : le cortège historique, qui obéit à un ordre bien établi, va défiler pendant plus de deux heures devant une foule en liesse qui se presse sur la place, aux fenêtres, sur les balcons et sur les terrasses. Prévoyant, notre hôtel s'y est pris longtemps à l'avance pour nous réserver des places. La cloche continue de sonner : la tension monte alors que le son des clairons et de l'orchestre du Palio accompagne la marche solennelle du cortège. L'émotion commence à s'emparer même du touriste le plus sceptique : à ce moment, il se rend compte que le Palio est une vraie fête, authentique, dont les origines sont anciennes et les racines profondes. Enfin, voilà qu'arrive le char portant en triomphe le Palio, un drap en forme d'étendard qui, depuis plusieurs années, est peint par d'illustres artistes. Alors que les invocations se multiplient, la tension monte encore et se répand comme une fièvre contagieuse. La grosse cloche s'est tue ; à son tour, la foule est silencieuse. Voilà les chevaux qui s'alignent au départ : on dirait que tout le monde retient son souffle pour mieux laisser échapper ensuite, sous forme de cris et de gestes, les tensions et les angoisses d'une année entière. Il suffit d'un peu plus d'une minute, et tout est fini. Seul le drapeau du vainqueur flotte sur la façade du Palazzo pubblico ; la foule court assister, en l'église Santa Maria in Provenzano, au Te Deum d'action de grâces. Après la cérémonie, le quartier vainqueur rentre et, comme par miracle, tout est déjà prêt pour lancer les festivités qui se prolongeront toute la nuit. Au son des tambours, le Palio parcourt les rues pavoisées. Le héros du jour, c'est le cheval, qui est fêté par les habitants du quartier et par les touristes venus en masse. Ce soir, inutile de songer à s'asseoir pour dîner : on boit et on mange un peu partout, avant de rentrer à l'hôtel, épuisé.

4ᵉ jour – 3 juillet
Sienne – San Casciano dei Bagni

En ville, les cérémonies et les festivités continuent. Nous emportons le souvenir d'émotions qui seront difficiles à oublier : nul doute que nous nous souviendrons de cette fête. Pour reprendre des forces après ces journées intenses et pour se préparer aux prochaines vacances d'été, on clôture cet itinéraire au **centre thermal de Fonteverde**, à San Casciano dei Bagni, une petite bourgade perchée sur une colline, située à l'écart de circuits habituels. On suit la route Sienne-Bettolle, puis, à Val di Chiana, on prend l'autoroute du Soleil ; on suit la direction de Rome, et on sort à Chiusi ; on emprunte la route provinciale jusqu'à Sarteano, où l'on bifurque vers San Casciano dei Bagni. Situé aux confins de la Toscane, de l'Ombrie et du Latium, San Casciano conserve, dans un environnement préservé, les vestiges de son passé étrusque, romain et médiéval. Dès l'Antiquité, le bourg était réputé pour ses sources thermales. Dans la seconde moitié du XVIᵉ siècle, il passa sous la domination du grand-duché de Toscane ; au début du XVIIᵉ siècle, Ferdinand Iᵉʳ fit construire un splendide portique pour l'établissement thermal, ainsi qu'une magnifique villa, qui devait servir de résidence d'été. Resté à l'écart des circuits les plus fréquentés, San Casciano est devenu, au fil des années, la

Cathédrale et bibliothèque Piccolomini
piazza del Duomo
Sienne, tél. 0577.283048
horaires : hiver 7.30-13, 14.30-17 ;
été 9-19.30 ; jours fériés ouvert
seulement l'après-midi

Musée de l'œuvre de la cathédrale
piazza Duomo 8
Sienne, tél. 0577.283048
horaires : hiver 9-13.30 ; été 9-19.30

Centre thermal de Fonteverde
et hôtel de'Medici
Terme 1
San Casciano dei Bagni
tél. 0578.58023

destination préférée d'artistes et de personnalités du spectacle qui, attirés par le charme de son décor médiéval, s'y sont installés à demeure ou l'ont choisi comme villégiature. Aujourd'hui encore, comme au XVIe siècle, quarante-deux sources alimentent la station thermale : l'initiative d'un industriel, qui avait, en son temps, dirigé les célèbres thermes de Saturnia et qui mène un projet de remise en valeur des centres thermaux, a rendu une nouvelle vie à la station et, en même temps, au bourg. Les Romains disaient que les thermes soignaient le corps et fortifiaient l'esprit ; aujourd'hui, on dit aussi qu'à la beauté extérieure correspond la beauté intérieure, et c'est avec cette philosophie que les installations traditionnelles ont été transformées : il s'agit d'exploiter les multiples vertus des eaux thermales pour répondre à des besoins qui sont aussi bien thérapeutiques qu'esthétiques. Quant à la magnifique villa Renaissance du grand-duc, elle abrite aujourd'hui un superbe hôtel : l'**hôtel de'Medici.** Un grand architecte paysagiste a dessiné et transformé le parc. Le précieux patrimoine de ces eaux aux extraordinaires propriétés curatives a été mis en valeur par l'adoption de nouvelles méthodes et de nouveaux traitements ; la piscine, qui offre une vue sur une campagne magnifique, nous attend pour un moment de relaxation absolu : il y a des sièges sous l'eau, des cascades, des jets d'eau. Ainsi se présente Fonteverde, où l'on va passer ces derniers jours de vacances. Après avoir pris possession des chambres, on déjeune, puis on consacre l'après-midi aux traitements de son choix, avant de conclure cette première journée par une promenade dans le parc, un apéritif et un agréable dîner à l'hôtel.

5e jour – 4 juillet
San Casciano dei Bagni

La journée sera consacrée aux innombrables possibilités offertes par le centre, qu'il s'agisse de soins thérapeutiques ou esthétiques. À la fin de l'après-midi, on ira se promener dans le bourg, en montant jusqu'à la piazza Matteotti. Sur cette place, les uns, assis sur les bancs, attendent que l'air se rafraîchisse, tandis que les autres, installés sur le muret qui entoure la place, contemplent la vallée. On reste presque sans voix devant le panorama qui apparaît tout à coup : des collines, où le vert des cyprès est interrompu par les touffes jaunes des genêts, alternent avec les champs dorés de blé, à peine moissonnés, qui deviennent de plus en plus jaunes à la lumière du crépuscule. On prend un apéritif au **Bar Centrale**, en continuant à observer le va-et-vient tranquille des habitants, puis on quitte la table du bar et on passe, juste à côté, à la terrasse du **restaurant Daniela**. Les deux établissements appartiennent aux mêmes propriétaires ; il y a quelques années encore, on mangeait au bar dans une atmosphère sympathique et conviviale. En cuisine, heureusement, rien n'a changé : Silvestro, le mari de Daniela, est toujours derrière les fourneaux, et ses plats ont toujours la même saveur extraordinaire. Dès que le dîner est terminé, nous reprenons notre place à la table du bar, sur le trottoir, pour prendre un café ou un digestif avant de rentrer à l'hôtel.

Bar Centrale
piazza Matteotti
San Casciano dei Bagni,
tél. 0578.58041

Restaurant Daniela
piazza Matteotti 7
San Casciano dei Bagni,
tél. 0578.58234
en hiver, fermé mercredi

6e jour – 5 juillet
San Casciano dei Bagni

La journée est consacrée aux traitements, aux bains et aux bains de boue, ou simplement à la lecture. On peut aussi se promener, retourner sur la place, faire du lèche-vitrines. En fin de journée, nous profiterons de tout le confort que nous offre l'hôtel et nous ferons provision du bien-être que le repos nous a donné : les eaux, les massages et les crèmes auront certainement effacé quelques rides, mais c'est l'atmosphère agréable du centre thermal et la tranquillité extraordinaire du bourg qui nous ont procuré cette impression de paix intérieure et qui, certainement, nous ont transformés.

7ᵉ jour – 6 juillet
San Casciano dei Bagni

On quitte la belle villa de Ferdinand Iᵉʳ et San Casciano dei Bagni pour partir « à contre-courant », comme on devrait toujours le faire : dans la direction opposée à celle de la foule des vacanciers qui commence à arriver. Cette fois, on prend la route de Fabro pour rejoindre directement l'autoroute du Soleil.

Itinéraire d'août

Août : un monde préservé, parmi les mystères des Étrusques

Pour le mois d'août, nous ne proposons pas vraiment un itinéraire, mais un ensemble de suggestions. L'objectif est de s'offrir un séjour agréable, malgré les contraintes de la saison : en été, alors que la foule envahit les plages et les montagnes, les lacs et les campagnes, il est extrêmement difficile de trouver un endroit tranquille, à l'écart des circuits touristiques. L'un de ces coins rares est situé dans un cadre tout aussi rare, non seulement magnifiquement préservé, mais aussi tellement isolé qu'il permet de passer un séjour dans une tranquillité absolue. Nous voulons parler de **Cala di Forno**, une crique de sable blanc dominée par un promontoire rocheux et par une tour, en plein cœur du parc de l'Uccellina, dans la Maremme. C'est un vrai paradis, où l'on peut trouver des appartements à louer en téléphonant directement aux propriétaires.

En arrivant par le nord ou le sud, on quitte la via Aurelia à Collecchio ; les propriétaires vous expliqueront ensuite comment trouver l'endroit. On passe une barrière de bois et on s'engage sur un chemin de terre, au milieu de l'épaisse végétation du parc : de là, il y a huit kilomètres à parcourir. Tout à coup, on aperçoit la vallée ; la végétation, plus clairsemée, cède la place à une étendue de terre rouge. Au fond, entouré d'oliviers et de pins maritimes, un ensemble de vieilles maisons paysannes aux toits dorés se détache sur le fond bleuté de la mer, interrompant la ligne droite de l'horizon. À part les quelques locataires des appartements aménagés dans les vieilles maisons, il n'y a personne. Seules des dunes de sable, parsemées d'iris blancs et d'herbes aux odeurs fortes, nous séparent encore du bord de mer ; çà et là, des branches et des troncs aux formes étranges, délavés par les eaux, ont été jetés sur la plage, parmi quelques giroflées sauvages. Comme nous sommes à l'intérieur d'un parc, la cueillette et le ramassage sont interdits : tout ce qui se trouve ici est protégé. Bientôt, on se rendra compte à quel point il suffit d'un environnement préservé pour que ce séjour nous emporte dans une autre dimension, hors du temps. Il suffit de ce contact quotidien, tout simple, avec les chevreuils ou les nombreux animaux, plus ou moins timides, qui vivent à l'abri du maquis, ou avec Martino, le sanglier qui, tous les jours, vient réclamer son repas, seul ou avec sa compagne et sa progéniture. Le monde de tous les jours est resté derrière la barrière que nous avons franchie en arrivant : de temps en temps, il nous plaira cependant de quitter notre oasis pour y retourner, puisque les environs du parc offrent de multiples possibilités de

Cala di Forno
pour louer :
Francesca Vivarelli Colonna
tél. 06.44232166
Antonella Vivarelli Colonna
tél. 0564.597103

visites ; et l'on fera son choix sans obéir à un itinéraire précis. À Spergolaia, par exemple, on pourra visiter le magasin de l'entreprise **Alberese Natura**, qui vend les produits de l'agriculture biologique : de l'huile, du vin, du miel, des fromages, ainsi que la viande savoureuse des vaches de la Maremme, qui sont encore élevées en liberté dans le parc. Pour trouver du bon poisson, il faut pousser jusqu'à Talamone, voire jusqu'à Orbetello, où l'on se fournira chez les **frères Covitto** ; et pourquoi ne pas se laisser tenter par la pâtisserie de **Rita Ferrini** ? À Albinia, la **ferme La Parrina** figure aussi parmi les étapes obligées : on y trouvera des légumes et des fruits, une vaste gamme de vins, de l'huile, des fromages en tout genre, ainsi que de délicieux yaourts fabriqués sur place, grâce aux troupeaux de moutons et de chèvres qui paissent sur ces terres. À l'intérieur de la propriété, il est également possible de séjourner dans une ancienne villa pleine de charme, qui possède quelques chambres, des salons à l'atmosphère agréable, ainsi qu'une véranda donnant sur un petit jardin. Les environs ne manquent pas non plus de restaurants, qui nous permettront de découvrir la cuisine de la Maremme, où se mêlent habilement les produits de la mer, de la campagne et de la forêt. Situé sur la route d'Alberese, tout près de l'entrée du parc qui mène à Cala di Forno, le **restaurant La Dispensa** invite à s'asseoir sous une pergola pour goûter les plats traditionnels, de poisson ou de viande, que les propriétaires préparent en cuisine. Plus loin, vers Fonteblanda, voici le **Ristoro Buratta**. Il ne s'agit ni d'un restaurant ni d'une trattoria, mais plutôt d'une auberge de campagne où, selon une formule assez originale, Adriana propose, outre de la charcuterie de sanglier, des légumes confits dans l'huile et des fromages, les plats caractéristiques de la Maremme, alors que son mari s'occupe de ses poulains. À Talamone, on pourra consacrer quelques soirées aux spécialités de la mer et aux splendides pâtes aux écrevisses *(fusilli alle mazzancolle)* de la **Buca di Nonno Ghigo**.

Les journées, qui sont longues en cette saison, permettent d'alterner les baignades et les promenades dans le parc. Par les sentiers, on pénètre dans le maquis odoriférant où dominent les bruyères, les cyclamens, les arbousiers, le myrte et le romarin, puis on grimpe en se frayant un chemin entre les chênes verts, les cèdres, les pins et toutes les plantes innombrables qui poussent dans ce lieu enchanteur. On peut choisir les itinéraires classiques, comme la visite des ruines de l'abbaye San Rabano ou l'excursion des tours côtières, en s'adressant au **centre d'accueil** du parc ; ou décider de passer une matinée à cheval avec les gardiens de troupeaux de l'**Azienda agricola Alberese**. Il est également possible de demander à la **cooperativa Albatro** d'organiser une promenade en canoë sur l'Ombrone ; en appelant **Roberto**, on pourra même survoler en montgolfière des plages sauvages, des collines boisées, des troupeaux de chevaux en liberté ou de paisibles vaches aux longues cornes. N'oublions pas non plus les routes du vin, de plus en plus intéressantes : il suffit de téléphoner pour obtenir une visite guidée dans la région du **Monteregio di Massa Marittima** ou dans celle des **Colli di Maremma**. Les producteurs et les appellations sont de plus en plus nombreux, alors que les vins ne cessent de gagner en qualité. Enfin, il est impossible de séjourner dans cette partie de la Toscane sans visiter les lieux qui conservent le souvenir de la présence étrusque : pour un premier contact, il suffira de réserver une demi-journée à la visite de **Roselle**, de Saturnia et de Montemerano. Au début de l'après-midi, on prend la route de Sienne et, à la sortie de Grosseto, on trouvera les indications pour Roselle. Les fouilles, toujours en cours, ont permis de dégager les vestiges de ce grand centre de l'Étrurie septentrionale : outre les restes de la ville romaine, les archéologues ont retrouvé le plan de l'antique cité étrusque, ce qui leur a permis de mieux connaître l'organisation de la ville. Protégée par une enceinte d'environ trois kilomètres de long, la cité étrusque fut conquise par Rome en

Alberese Natura
Spergolaia (Alberese)
tél. 0564.407180

Fratelli Covitto Pesca
via Volontari del sangue
Orbetello, tél. 0564.862350

Pasticceria Rita Ferrini
via Carducci 10
Orbetello, tél. 0564.867205

Antica fattoria La Parrina
S. S. Aurelia, km.146
Albinia, tél. 0564.865546
fax 0564.862626

La Dispensa
via Aurelia Antica 16/18
Alberese scalo, tél 0564.40732
en hiver, fermé mardi

Ristoro Buratta
Podere Dicioccatore
Parco dell'Uccellina
tél. 0564.887067
en hiver, fermé lundi

Buca di Nonno Ghigo
piazza Garibaldi
Talamone, tél. 0564.887067
fermé lundi

Centro visite parco dell'Uccellina
piazza dei Combattenti
Alberese, tél. 0564.407098

Azienda agricola Alberese
Parco dell'Uccellina
tél. 0564.407077

Cooperativa Albatro
via Cavour 9
Grosseto, tél. 0564.410121

Roberto Botti
« Maremma in mongolfiera »
tél. 348.3317690

Strada del vino
Monteregio di Massa Marittima
Via Norma Parenti 22
Massa Marittima
tél. 0566.902756
fax 0566.940095

Strada del vino
Colli di Maremma, Scansano
tél. et fax 0564.507381

Parco archeologico di Roselle
Grosseto, tél. 0564.414303
horaires : mars-avril 9-18.30 ;
mai-août 9-19.30 ;
novembre-février 9-17.30

296 av. J.-C. et transformée en municipe romain. De son passé antique, Roselle garde les thermes, l'amphithéâtre, le forum, la basilique et de nombreux vestiges d'édifices et de villas qui donnent sur la rue pavée, bien conservée. Prenant la direction de Scansano, on traverse une campagne vallonnée de douces collines, puis on arrive à Saturnia, petit bourg dont les origines sont plus anciennes encore que les Étrusques. Érigée au rang de colonie romaine, Saturnia fut détruite par Sylla ; après avoir connu un nouvel essor au Moyen Âge, elle fut conquise et pillée par les Siennois, avant d'être laissée à l'abandon après une épidémie de peste dévastatrice. Aujourd'hui, c'est une bourgade paisible qui vit du tourisme thermal. Ses thermes sont alimentés par des eaux chaudes et sulfureuses, qui jaillissent en abondance et sont exploitées à des fins thérapeutiques ou cosmétiques. Non loin de là, près d'un vieux moulin, les mêmes eaux jaillissent et se répandent dans de grands bassins naturels creusés dans le travertin, où l'on peut se baigner en toute liberté. Les vapeurs se répandent dans la campagne environnante, et le paysage devient un décor magique et irréel. Il vaut la peine de se baigner et de se laisser emporter dans les canaux qui relient les bassins par le mouvement impétueux des eaux chaudes. On s'essuie rapidement, puis on repart, détendu, mais avec une légère odeur de soufre qui nous accompagnera durant le retour. On quitte Saturnia pour gagner Montemerano, qui se dresse sur une colline couverte d'oliviers séculaires. C'est un petit bijou du Moyen Âge : un ensemble de ruelles, de petites places et d'édifices richement ornés. Entouré par une enceinte, le bourg s'étend autour d'un château ; à côté d'une des portes d'accès, la petite église San Giorgio conserve quelques œuvres importantes du XVe siècle. À ce moment, on devrait décider de rentrer après le dîner, car il est difficile de venir à Montemerano sans saisir l'occasion de manger au restaurant **Da Caino**. Sous la conduite de Maurizio, cette trattoria traditionnelle s'est transformée en un établissement accueillant et élégant, en parfaite harmonie avec Valeria, qui a renouvelé les plats traditionnels en les rehaussant de saveurs délicates. S'il était impossible, pour une raison ou l'autre, de dîner dans ce restaurant, il ne serait pas nécessaire de s'éloigner : non loin de là, à Poderi di Montemerano, se trouve une vieille trattoria, du nom de **Laudomia**, qui n'a pas changé depuis des années ; outre les raviolis maison, on pourra goûter l'acquacotta et la scottiglia. Et s'il nous arrivait de revenir dans le coin, on pourrait passer la nuit en face, dans une des chambres proposées par la locanda Laudomia. Pour rentrer, on prend la direction de Manciano, on traverse Marsiliana et Albinia, puis on rejoint la via Aurelia. Il faut une journée entière pour visiter Pitigliano, Sorano et Sovana, petites merveilles de cette partie de la Toscane qui est connue comme « la région des tufs ». On reprend la via Aurelia, on la quitte à Albinia et, en passant par Manciano, on gagne Pitigliano. Nous sommes alors dans l'arrière-pays de la Maremme, là où se sont chevauchées, au fil des siècles, des cultures et des traditions diverses, et où les Étrusques ont laissé durablement leur empreinte. Après un dernier virage, on découvre tout à coup le gros bourg médiéval de Pitigliano, perché sur un éperon de tuf. Les constructions semblent jaillir directement de la roche qui, percée par les ouvertures des columbariums, des caves et des étables, forme un seul bloc doré, presque suspendu entre ciel et terre.
De son passé étrusque, Pitigliano ne conserve que des restes de murs et de petites nécropoles disséminées dans la campagne, car les autres vestiges ont été effacés au Moyen ge et à la Renaissance par les nouvelles constructions. On commence la visite par le **palais Orsini**, qui domine le bourg. Au XVIe siècle, Antonio da Sangallo le Jeune le transforma en même temps que l'imposant complexe qui, depuis le XIIIe siècle, appartenait aux comtes Aldobrandeschi. On s'engage ensuite dans le dédale de ruelles qui séparent les maisons étroites pour suivre une des rues principales, qui serpente

Da Caino
via Canonica 3
Montemerano, tél. 0564.602817
fermé mercredi et jeudi midi

Restaurant Laudomia
Poderi di Montemerano
Manciano, tél. 0564.602807
en hiver, fermé mardi

Locanda Laudomia
Poderi di Montemerano
Manciano, tél. 0564.620062

Palazzo Orsini
Museo civico archeologico
piazza Fortezza Orsini
Pitigliano, tél. 0564.617019
horaires : octobre-mai, jeudi-mardi
10-16 ; juin-septembre,
jeudi-mardi 10-18

jusqu'au quartier juif et à la **synagogue**. Récemment restauré, l'édifice se visite en même temps que le **forno delle Azzime**. Depuis les temps les plus reculés, Pitigliano abrita une importante communauté juive qui apporta une contribution essentielle à l'essor de son commerce et de son artisanat, au point que le village fut même surnommé la « petite Jérusalem ». Après avoir visité la synagogue, on remonte la via Roma pour atteindre la place où se dresse la cathédrale. Consacrée aux saints Pierre et Paul, l'édifice est précédé d'un superbe portail du XVIe siècle en travertin et flanqué d'un haut clocher, issu d'une ancienne tour de guet dont il conserve la puissante silhouette. La via Roma est aussi la rue des commerces et des boutiques. Au numéro 76, la **boucherie Polidori** nous invite à venir déguster sa charcuterie et propose aussi de la viande kascher. Presque en face, au 97, **Roberto Polidori** vend des céramiques et des terres cuites faites à la main, décorées et peintes dans un style original et insolite.

Mais voici venue l'heure du déjeuner. En passant par des ruelles pittoresques, nous nous arrêtons au numéro 60 de la via Zuccarelli, dans un petit atelier de reliure, où Tina s'amuse à créer, avec toutes sortes de papier, les objets les plus divers : des boîtes, des albums, des carnets de cuisine. On l'a découverte par hasard, en cherchant le restaurant du **Tufo allegro**, qui se trouve tout près d'ici. On descend quelques marches, et nous voilà sur une terrasse fleurie, qui paraît sortie d'un conte de fées. Si l'établissement est tout petit, c'est un grand personnage qui nous accueille : grand cuisinier, Domenico Pichini est aussi grand de taille, et l'on se demande comment il se débrouille pour circuler ainsi, coiffé d'une toque immense, dans un espace aussi petit. Ses spécialités appartiennent à la cuisine de la Maremme, mais Domenico sait les préparer en les enrichissant de saveurs nouvelles, sans rien perdre de leur goût traditionnel. Avant de partir, on contemple une dernière fois le paysage de la vallée depuis une des arcades qui rythme l'aqueduc du XVIe siècle, dressé en équilibre sur l'éperon de tuf. On continue vers Sorano : comme à Pitigliano, il est difficile de décrire l'impression saisissante qui s'empare du visiteur quand il aperçoit pour la première fois ce village. Entouré de profondes vallées, le bourg est à nouveau construit sur un éperon de tuf : ici aussi, les maisons et les rues paraissent taillées dans la roche. D'origine très ancienne, Sorano s'est étendu au pied d'une forteresse de la famille Aldobrandeschi, qui passa au XVIe siècle entre les mains des Orsini. Si, à l'idée de gravir les escaliers qui mènent au château, la chaleur d'un après-midi d'été vous décourage, rien ne vous empêche de rester dans le bourg, où le temps semble s'être arrêté au Moyen ge : on ira flâner dans les ruelles pavées, en suivant la succession des cours, des escaliers, des loggias, des vieilles maisons-tours aux portes à bossages, des caves profondes et fraîches qui, creusées dans le tuf, paraissent s'enfoncer au plus profond du rocher. En quittant Sorano, on prend la direction d'Elmo et, dès que l'on a traversé la vallée, on tourne à gauche en direction de Sovana, à une dizaine de kilomètres. À la différence de Sorano et de Pitigliano, Sovana est construite sur un plateau ; tout autour s'étend une campagne ouverte, tantôt vallonnée, tantôt légèrement ondulée, presque plate. Le paysage n'est plus le même : il n'a plus la sévérité de la région des tufs. Sovana apparaît lentement : on ne la découvre qu'après avoir franchi la porte de son ancienne enceinte. C'est la place, une des rares qui ont conservé intact le charme du passé, qui apparaît d'abord aux yeux du visiteur. Le sol est revêtu de briques disposées en arêtes de poisson, dont le rouge originel, usé par le temps, présente aujourd'hui une légère teinte rosée. Bordée de petites maisons médiévales, la place est dominée d'un côté, par le palazzo Pretorio et la loggette du Capitaine et, de l'autre, par la petite église romane Santa Maria Maggiore, qui abrite un superbe ciborium préroman.

Synagogue et
forno delle Azzime
Pitigliano, tél. 0564.616396
horaires : mai-octobre, dimanche-
vendredi, 10-13, 15-19

Restaurant Tufo allegro
vicolo della Costituzione 2
Pitigliano, tél. 0564.616192
fermé mardi

Au fond de la place, le palazzo dell'Archivio, surmonté d'une horloge, est complété par un petit clocher à arcades. De chaque côté partent deux petites rues, qui sont également revêtues de briques roses. À droite, la via Duomo mène à la cathédrale, superbe édifice roman qui se dresse au milieu du paysage, puis passe entre des maisons basses d'époque médiévale, séparées par de petits jardins fleuris, par des potagers bien entretenus et par des tonnelles de vigne. Sur une de ces maisons, une plaque rappelle la naissance du pape Grégoire VII, en l'année 1013. Cette rue est aussi la rue des commerces, qui proposent les objets les plus variés. Alors que le **Leone Dipinto** vend des réalisations en papier, le **Tufo made in Italy** propose des articles ménagers originaux et des sculptures en tout genre exécutées en tuf. Pour les meubles ou les objets du XIXᵉ siècle, il faut aller chez **Venturi** ; pour les tissus travaillés à la main, on retourne sur la place pour entrer dans la boutique **Semplicemente** ; enfin, l'**Antichità Vetrano** propose des tableaux et des pièces d'argenterie. Mais on ne peut pas quitter Sovana sans voir ses carrières et sa **nécropole**, avec la célèbre tombe Ildebranda, la tombe de la Sirène et la tombe du Typhon. Pour les visiter, il faudra réserver un guide auprès de la **coopérative La Fortezza**. La journée se termine : il faut quitter cette terre imprégnée du souvenir mystérieux d'un peuple disparu, et qui conserve un patrimoine archéologique exceptionnel, partiellement inexploré. Sur la route du retour, on peut faire une halte pour assister à l'une des manifestations folkloriques qui se déroulent au mois d'août et qui sont l'occasion de découvrir des sites de grand intérêt.

Le 3 août, à Porto Santo Stefano, un cortège en costumes espagnols du XVIIᵉ siècle précède la procession en mer de bateaux de pêche illuminés. Le 10 août, jour de la Saint-Laurent, Grosseto fête son saint patron : c'est l'occasion de découvrir le **Musée archéologique** et ses riches collections, et de compléter cette visite par une excursion à Roselle, à Sovana et à Pitigliano. Le deuxième dimanche du mois est le jour idéal pour visiter Massa Marittima, ville qui reste le plus souvent à l'écart des circuits touristiques, mais qui possède une superbe cathédrale et une place particulièrement séduisante. C'est à cette date qu'est organisé le Balestro del girifalco, un concours d'arbalétriers qui se renouvelle une autre fois dans l'année. Les trois quartiers de la ville représentent trois catégories sociales différentes ; avec vingt-quatre arbalétriers, ils se défient dans un concours qui consiste à tirer sur un objet en forme de faucon, placé à 36 mètres de distance. Le meilleur arbalétrier reçoit une flèche d'or, alors que son quartier est récompensé d'un drap de soie peinte. Outre cette manifestation folklorique, Massa Marittima propose aussi, durant le mois d'août, des spectacles d'opéra et des concerts qui se déroulent entre le parvis de la cathédrale et le palais épiscopal, au-dessus du grand escalier, dans l'angle de la place dominée par le campanile. On pourra se procurer le programme, qui change chaque année, auprès de Amatur ; pour le dîner, on s'arrêtera à la Taverna del vecchio borgo ou au restaurant La Schiusa. Le 15 août, on aura le choix entre deux manifestations : on peut rester à l'intérieur du parc de l'Uccellina pour assister, à Alberese, au Rodeo dei butteri (rodéo des gardians) et au Palio della rosa ; ou bien se rendre à Porto Santo Stefano pour le Palio marinaro. Si l'on choisit cette dernière localité, une halte à Orbetello permettra de profiter de l'Incontro d'estate et de faire des achats sur les éventaires qui envahissent les jardins publics. Pour terminer la journée, on ira goûter la cuisine de La locanda di Ansedonia. À la fin du séjour, la barrière de Cala di Forno se ferme derrière nous et, peu après, ce lieu n'est déjà plus qu'un rêve.

Nécropole de Sovana
horaires : mardi-dimanche, hiver
9-13, 16-18 ; été 10-13, 17-20

Cooperativa La Fortezza
via del Duomo
Sovana
tél. 0564.633402-616532

Musée archéologique et
d'art de la Maremme
piazza Baccarini 3
Grosseto, tél. 0564.417629
horaires : hiver 9-13, 16-18 ;
été 10-13, 17-20 ; fermé lundi

Amatur
Via Norma Parenti 22
Massa Marittima
tél. 0566.902756

Restaurant
Taverna del vecchio borgo
via Norma Parenti 12
Massa Marittima
tél. 0566.903950
fermé lundi

Restaurant La Schiusa
via Basilicata 29,
Prata (Massa Marittima)
tél. 0566.914012
fermé mardi

Restaurant
La Locanda di Ansedonia
S. S. Aurelia km 140,5
tel. 0564.881317
fermé mardi

Itinéraire de *septembre*

Septembre : une occasion pour les passionnés d'antiquités

1er jour – Samedi
Arezzo

La fin du mois d'août coïncide normalement avec la fin des vacances d'été, mais Arezzo et Cortona invitent à les prolonger à l'occasion de trois manifestations, rapprochées dans le temps et dans l'espace, qui donnent la possibilité de découvrir une région moins fréquentée de la Toscane. Il s'agit d'une partie du territoire toscan qui est presque l'antichambre de l'Ombrie, une terrasse qui donne sur cette région voisine, tout aussi belle. De plus, cette période de l'année offre des occasions exceptionnelles à tous ceux qui s'intéressent aux antiquités ou qui, simplement, aiment les vieilles choses. Le premier dimanche de septembre, Arezzo nous propose non seulement la célèbre **Foire des antiquaires**, que tout le monde désigne, à cette occasion particulière, sous le nom de « Mercatone », mais aussi la tout aussi célèbre **Giostra del Saracino**, manifestation folklorique vieille de sept siècles. Arezzo, dont les origines sont très anciennes, fut une des cités étrusques les plus importantes, avant de profiter de sa position stratégique pour jouer un rôle essentiel à l'époque romaine. Ralliée au Moyen Âge au parti des gibelins, elle entra en conflit avec Florence, acquise au parti des guelfes. Après la défaite de Campaldino, en 1289, elle fut définitivement soumise à la puissance florentine. De ses riches trésors artistiques, on ne retient trop souvent que l'œuvre la plus célèbre : la Légende de la Vraie Croix, de Piero della Francesca. La partie haute de la ville est le noyau le plus ancien du centre historique. Quand on monte les rues en pente raide, le spectacle change à tout moment, de sorte que le visiteur a l'impression de parcourir toute l'histoire de l'architecture : du roman au gothique, de la Renaissance au baroque. C'est une surprise continuelle de découvrir tant de trésors artistiques préservés des foules, dans l'intimité calme et harmonieuse qu'Arezzo est parvenue à conserver. La ville et son territoire ont donné à l'Italie et au monde un nombre incroyable de personnages illustres, dans tous les domaines : écrivains, architectes, peintres, sculpteurs. Les uns, comme Piero della Francesca et Luca Signorelli, ont vécu et travaillé à Arezzo ; les autres, comme Pétrarque, Vasari, Masaccio et Michel-Ange, sont partis, tout en laissant partout les marques indélébiles de leur grandeur. Un des trésors les plus précieux de la ville est la piazza Grande, qui, une fois par mois, est aussi le centre de l'animation : en 1968, un collectionneur et antiquaire eut en effet l'idée d'organiser une grande brocante sur la place et dans les rues environnantes. Imitée dans toute l'Italie, la foire d'Arezzo est aujourd'hui la plus importante dans son genre ; elle est organisée tous les premiers week-ends du mois, mais en septembre, elle doit céder la place à la Giostra del Saracino et se répandre dans les rues du centre historique.

À notre arrivée, le samedi, tout est déjà prêt, même si, en cette occasion particulière, les affaires ont commencé dès le vendredi après-midi, quand les brocanteurs et les antiquaires professionnels, dans l'espoir d'accaparer les pièces les plus intéressantes, se sont mis à rôder autour des éventaires où sont déballés et disposés les objets. L'offre est tellement grande qu'il est impossible de tout voir ; les bonnes affaires

Foire d'Arezzo
premier dimanche du mois
et samedi précédent
tél. 0575.377993

Giostra del Saracino
avant-dernier dimanche de juin
et premier dimanche de septembre
tél. 0575.377678

sont de plus en plus rares, et même les pièces les plus modestes sont recherchées : le goût et l'habileté des artisans d'autrefois suffisent à faire d'un objet quelconque un trésor convoité. Mais l'heure du déjeuner est proche : la **Buca di San Francesco**, située en plein cœur de la foire, est un bon restaurant traditionnel, pour son atmosphère comme pour sa cuisine. Avant de se mettre à table, on prendra la peine d'admirer, dans l'**église San Francesco**, les merveilleuses fresques de la Légende de la Vraie Croix. L'après-midi, on peut continuer à flâner entre les étalages. On ne restera pas longtemps les mains vides : il y a toujours quelque chose, pour la maison, pour le collectionneur et même pour les enfants, qui contemplent avec envie les petites voitures en fer blanc. Les objets de la vie quotidienne sont remplacés de plus en plus vite, de sorte que ceux d'hier sont déjà introuvables : ils sont vendus sur les marchés, recherchés par les collectionneurs, convertis en objets de décoration originaux. On trouve tout : de vieux interrupteurs, des dentelles, des lampes, des cafetières, des meubles disloqués, des clés rouillées… Pour les professionnels ou pour l'amateur qui cherche une pièce importante, la visite est évidemment différente. La présence de la foire, qui rassemble des antiquaires et des brocanteurs en tout genre, a favorisé l'essor du marché des antiquités dans toute la ville. Autour de la piazza Grande, les anciennes boutiques médiévales ont été restaurées et, après des années d'abandon, elles exposent aujourd'hui les meubles et les objets les plus précieux. Au numéro 7 de la piazza Grande, l'**Antichità Tina dei Bardi** propose des statues en bois polychromes, des meubles marquetés et des coffrets d'époque Renaissance ; au numéro 20, **Grace Gallery** vend des tableaux et des objets d'ameublement ; au numéro 22, sous les loges de Vasari, on trouvera peut-être la cheminée de ses rêves chez Massimo Barbagli, qui a donné à son magasin le nom de sa spécialité : **I Caminetti Antichi.**

On trouve de beaux meubles toscans du XVIIIᵉ et du XIXᵉ siècles chez **Mauro Burzi**, via Seteria 24, alors qu'au numéro 97 du corso Italia, **Alma Bardi** vend des pièces d'argenterie, italiennes ou anglaises, ainsi que des bijoux des années vingt et des objets émaillés.

Luca Raspini, via Cavour 18, propose aussi de l'argenterie ancienne, ainsi que des terres cuites polychromes et des bustes en plâtre ou en marbre ; au numéro 30, on retrouve Grace Gallery, qui présente ici des tableaux anciens et des œuvres rares. Sur la piazza San Francesco, à côté de l'église, la galerie **Ivan Bruschi**, qui porte le nom du créateur de la foire, rassemble un grand nombre de commerces de luxe. Si l'on pousse jusqu'à la via Mazzini, on trouvera au numéro 50 la **Bottegantica**, avec un remarquable choix de livres rares. On termine l'après-midi à la **New Art Gallery**, corso Italia 251, où **Nicoletta Lebole** et sa fille Barbara, sans négliger le XIXᵉ siècle, ont mis à l'honneur le XXᵉ siècle italien et européen : les objets et les meubles Art nouveau et Art déco, œuvres d'illustres créateurs, sont complétés par des toiles, des verres, des bronzes et des céramiques.

L'après-midi a été long, mais les hôtels de la ville moderne sont bondés, et leur style souvent trop commercial. Nous quittons donc Arezzo en prenant la route de Bibbiena : un peu plus loin, près de Subbiano, voici l'**hôtel Torre Santa Flora**, un petit établissement plein de charme, aménagé dans un ancien relais de poste qui faisait partie d'un imposant complexe du XIIIᵉ siècle. On se repose dans l'une des douze chambres confortables en attendant l'heure du dîner. À la lumière des bougies, dans la délicieuse atmosphère de la cour, on goûtera les cappelletti de pigeon et ricotta à la sauce au vin, ou quelque autre spécialité insolite.

Restaurant
Buca di San Francesco
via San Francesco 1
tél. 0575.23271
fermé lundi soir

Église San Francesco
piazza San Francesco
visite des fresques sur réservation,
tél. 0575.900404
horaires : lundi-vendredi 9-17.30,
samedi 9-17, dimanche 13-17

Hôtel Torre Santa Flora
Palazzo
Ponte Caliano 169
tél. 0575.421045
fax 0575.489607

2ᵉ jour – Dimanche
Arezzo – San Martino (Cortona)

Après le petit déjeuner, on retourne à Arezzo. La matinée est de nouveau consacrée au marché, en attendant la « Giostra del Saracino », qui se déroulera dans l'après-midi. Pour le déjeuner, on choisit une des trattorias les plus anciennes et les plus caractéristiques du centre, l'**Antica Osteria L'Agania**, située à deux pas de l'église San Michele, qui offre une authentique cuisine familiale dans la tradition toscane. Au début de l'après-midi, il sera amusant de flâner dans les rues et les ruelles du quartier. Les dames et les chevaliers commencent à s'habiller et se préparent pour le cortège. Le quartier de la Porta Sant'Andrea est l'un de ceux qui participent au tournoi : bientôt, dames et chevaliers seront bénis à San Michele avant de participer au concours. Quatre quartiers de la ville, avec huit chevaliers, feront revivre l'ancien tournoi médiéval. Le spectacle commence par le cortège historique, suivi de danses et de cérémonies. L'asymétrique et surprenante piazza Grande se transforme en théâtre : les loges de Vasari, au fond, l'église romane, sur le côté ouest, ainsi que les édifices gothiques et baroques qui l'entourent composent le magnifique décor de cette joute. Le grand buste en bois d'un guerrier maure, au visage impassible, est armé d'un bouclier et d'un fouet : les huit chevaliers, emmenant leur cheval au galop, doivent frapper le bouclier de leur lance, tout en évitant les coups de fouet. Chaque coup porté augmente le nombre de points obtenu, et à la fin, une lance d'or est remise au vainqueur et à son quartier. Dès la fin du spectacle, il faudra se dépêcher de quitter le centre historique pour éviter la foule et la cohue. On prend la direction de Castiglion Fiorentino et, avant d'arriver à Cortona, on s'arrête à San Martino, à l'hôtel **Il Falconiere**. Au milieu d'un parc planté de cyprès, de marronniers et d'oliviers, une belle demeure du XVIIᵉ siècle a été transformée par Silvia et Riccardo Baracchi en un petit hôtel appartenant à la prestigieuse chaîne des « Relais & Châteaux », qui réussit à conjuguer, avec beaucoup d'équilibre, un extrême raffinement et une grande simplicité. Pour clôturer une journée de travail intense ou simplement de détente, rien de tel que le restaurant aménagé dans l'ancienne serre à citronniers, où la cuisine est la hauteur de ce lieu raffiné. L'ancien verger, transformé en terrasse, offre une vue sur la douce campagne de la Valdichiana : il suffit de s'asseoir dans ce lieu enchanteur pour se débarrasser de toute fatigue.

Antica osteria l'Agania
via Mazzini 10
Arezzo, tél. 0575.295381
fermé lundi

Hôtel Il Falconiere
San Martino (Cortona),
tél. 0575.612679
fax 0575.612927

3ᵉ jour – Lundi
San Martino – Cortona – San Martino

Les gâteaux et les confitures maison égaient le petit déjeuner. Derrière les murs de la salle décorée de fresques, à l'extérieur du parc, le spectacle est toujours aussi enchanteur : le regard se perd dans la vaste plaine qui nous entoure, jusqu'à l'étendue bleutée du lac Trasimène et à la silhouette des montagnes lointaines. Au premier plan, pourtant, ce n'est pas encore l'austère paysage de l'Ombrie : ces collines ondulées, ces longues rangées de cyprès, ces maisons paysannes au milieu des champs, c'est encore le territoire de la Toscane, un des nombreux visages de cette région, peut-être le plus doux et le plus paisible.

On monte à Cortona qui, jusqu'à présent, semblait nous surveiller du haut de ses murs. Bien conservée, cette enceinte qui remonte aux Étrusques entoure la ville mais ne la cache pas : elle la tient toute ensemble, comme pour l'offrir et permettre de l'embrasser d'un seul regard. Quelqu'un l'a décrite comme « le bourg en vitrine » : c'est une définition tout à fait juste, même si Cortona, tout en gardant l'aspect d'un bourg, fut une ville puissante, riche encore des vestiges de ses origines anciennes et de son passé glorieux. On entre par la porta Sant'Agostino, puis on suit la via Guelfa, qui monte vers la place et qui constitue le cœur de la vieille ville. Son atmosphère pleine de charme se retrouve dans les rues escarpées, dans les ruelles sinueuses, sur les petites places désertes, dans la succession des maisons et des boutiques entre lesquelles des échappées laissent découvrir la campagne. Les œuvres d'art ainsi que les édifices et les monuments qui, à l'image de la superbe enceinte, ont traversé les siècles, témoignent du passé prestigieux de Cortona. À la fin de l'été, la ville organise, dans le palais Vagnotti et dans le palais Casali, tout proche, la **Foire nationale du meuble ancien**, qui présente non seulement des meubles, mais aussi des tapis, des tableaux, des bijoux et des céramiques de grande valeur. On visite tout de suite la foire, en s'arrêtant un moment devant le palais Casali : la singulière collection d'armoiries qui orne la façade garde le souvenir des familles illustres qui dominèrent la ville. Les antiquités sont le fil conducteur de cet itinéraire : en sortant de la foire, on ira faire un tour dans les nombreuses boutiques qui, à cette occasion, exposent leurs pièces les plus précieuses. Au numéro 2 de la via della Propositura, la **galleria Villa Miravalle** propose du mobilier toscan et français, alors qu'au numéro 28 de la piazza Signorelli, **Bucaletti** présente des meubles et des objets du XVIIe siècle. Il suffit ensuite de remonter la via Nazionale pour trouver, au numéro 13, **Il Beato Angelico**, et au numéro 36, **Antonella Marri**, qui expose des meubles anciens de grande valeur ; au numéro 37, **Castellani** vend des meubles ainsi que des jeux et des objets en tout genre, alors que le **Vicolo Buio**, au numéro 47, se consacre au XIXe siècle. En oubliant un moment les antiquités, on ira jeter un coup d'œil sur les céramiques typiques de Cortona, en vente au numéro 54, au **Cocciaio**. Notre parcours se termine au bout de la rue, piazza Garibaldi, où l'on s'arrête pour déjeuner : le **restaurant Tonino** est une étape à ne pas manquer. L'après-midi, les passionnés d'antiquités retournent à la foire ; les autres se tourneront vers les musées : le **museo dell'Accademia etrusca** conserve un célèbre lampadaire de bronze, ainsi que la tabula cortonensis, récemment restaurée, alors que le **Museo diocesano** abrite, outre une Annonciation de Fra Angelico, des œuvres de Lorenzetti, de Sassetta et de Luca Signorelli, un des fils les plus illustres de Cortona. S'il fait beau, on peut rentrer à l'hôtel assez tôt pour se reposer au bord de la piscine, au milieu des oliviers, en attendant l'heure du dîner. Dans l'atmosphère suggestive de la véranda, il sera difficile de faire son choix parmi les plats que nous propose le menu : les raviolis de bette et de fèves au velouté de pecorino, les roulés d'anguille aux herbes aromatiques, ou bien le calmar farci, accompagné de légumes, d'olives et de persil…

Mostra mercato nazionale
del Mobile antico
palazzo Vagnotti et palazzo Casali
Cortona, tél. 0575.630353
du dernier samedi d'août
au deuxième dimanche de septembre

Restaurant Tonino
piazza Garibaldi 1
Cortona, tél. 0575.630500
fermé lundi soir et mardi

Museo dell'Accademia etrusca
piazza Signorelli 9
Cortona, tél. 0575.630415
horaires : mardi-dimanche 10-13,
15-17; fermé lundi

Museo diocesano
piazza Duomo 1
Cortona, tél. 0575.62830
horaires : avril-septembre 9.30-13,
15.30-19 ;
octobre-mars 9-13, 15-17

4e jour – Mardi
San Martino – Cortona – Montepulciano – Montefollonico

On quitte à contrecœur un endroit aussi agréable. On monte de nouveau à Cortona, mais on ne rentre pas dans le centre. Restant à l'extérieur des murs, on gagne la porta Colonia, puis on suit la direction du **convento delle Celle**. Ce n'est pas une ville d'art ou un site touristique qui justifie ce détour, mais plutôt l'atmosphère particulière d'un lieu qui, malgré la proximité de la ville, réussit à donner l'impression de se trouver à l'écart du monde. Fondé par saint François, le couvent a été construit contre la paroi d'une faille naturelle, au milieu des bois, si bien que les pierres des murs se confondent avec la roche. On descend en longeant des jardins cultivés en terrasses, où des touffes de fleurs se dressent au milieu des plants de tomates, puis on traverse un petit pont

Convento delle Celle
strada per Città di Castello
Cortona

pour franchir le ruisseau qui jaillit de la faille rocheuse. Le bruit de l'eau est comme une musique de fond qui accompagne jusqu'à l'entrée de la petite église du XVIᵉ siècle, et qui nous suit même dans la minuscule cellule de saint François, restée inchangée. Pris par l'atmosphère mystique du lieu, on a presque l'impression de ressentir la présence du saint, nous accompagnant jusqu'à la sortie puis nous laissant partir, bouleversés. On prend maintenant la route de Foiano pour visiter l'**abbaye de Farneta**, fondée par des moines bénédictins à la fin du IXᵉ ou au début du Xᵉ siècle. C'est à la passion et à la persévérance d'un prêtre que l'on doit la restauration de l'église, isolée dans la campagne. Dans la crypte, à la forme singulière, les voûtes en berceau et les voûtes d'arêtes sont supportées par des colonnes faites de matériaux divers, du travertin au marbre, du grès au granit. Don Sante Felici est le prêtre qui, depuis bien longtemps, vit dans le presbytère situé à côté de l'église ; il n'y a jamais eu d'heures d'ouverture ni de gardien : il suffit de sonner pour être accueilli avec une étonnante cordialité. Infatigable, Don Sante cultive des intérêts variés : il se consacre tantôt aux livres, tantôt aux fouilles archéologiques. C'est ainsi qu'il est parvenu à reconstituer le squelette d'une éléphante, haut de plus de quatre mètres, avant de le céder au musée de Paléontologie de Florence. À côté de l'église, le presbytère abrite un petit musée. Aujourd'hui, c'est Stefania qui fait visiter l'église, mais Don Sante est toujours là, âgé de 88 ans, pour répondre au coup de sonnette de sa voix jeune et perçante. Après avoir traversé le village de Foiano, on gagne Montepulciano, on dépasse la magnifique église San Biagio, et on continue vers Pienza, puis on tourne à droite pour gagner Montefollonico, un tout petit village perché sur un promontoire. Tout autour, la campagne conserve sa douceur, même si l'on n'est plus très loin des Crete siennoises. L'**hôtel La Chiusa**, où nous descendons, offre une vue sur ce paysage. Une simple barrière qui s'ouvre : rien n'a changé, semble-t-il, depuis l'époque où, dans cette maison paysanne, on pressait les olives. Les lieux ont conservé non seulement leur aspect, mais aussi leur simplicité, et ce n'est qu'au second coup d'œil que l'on s'aperçoit que la petite cour est trop élégante, que les fleurs sont trop bien disposées et que les potagers sont trop bien ordonnés pour une vieille ferme qui n'abriterait qu'un pressoir à huile. C'est avec beaucoup d'habileté, en effet, que Dania et Umberto Lucherini sont parvenus à transformer l'endroit sans rien perdre de son authenticité. À l'intérieur, la surprise est encore plus agréable, si bien que le choix d'une chambre est particulièrement difficile. On visite ces chambres, distribuées autour du corps central et aménagées dans de petites constructions rustiques, mais quand on pense avoir identifié sa préférée, voilà que l'on en découvre une avec une fenêtre qui offre un point de vue différent sur la vallée et qui possède une salle de bains encore plus séduisante : l'indécision est à son comble. Et quand on nous montre les chambres aménagées dans le vieux pressoir, le problème se complique encore plus… L'espace est immense : les chambres ressemblent à des salons et, dans les salles de bain, les baignoires sont presque des piscines. Si le plaisir de l'insolite l'emporte, on reste dans une de ces petites merveilles, mais si l'on préfère les atmosphères plus intimes, on remonte pour choisir au hasard l'une des autres chambres. Mais voici déjà l'heure du déjeuner : la salle du restaurant, à la fois simple et élégante, est une autre surprise. L'accueil d'Umberto, d'une gentillesse extrême, prélude naturellement à la découverte d'une cuisine exceptionnelle, qui est l'œuvre de Dania. Si la préparation et la présentation des plats témoignent d'une grande capacité d'invention, les ingrédients associés restent merveilleusement simples : c'est leur fraîcheur et leur qualité qui garantissent la perfection du résultat final.

Abbaye de Farneta
Centoia per Farneta 1
tél. 0575.610010

Hôtel La Chiusa
via della Madonnina 88
Montefollonico, tél. 0577.669668

Dania possède un talent inné, ainsi qu'un sens aigu des équilibres gustatifs, de sorte que le plat le plus simple se distingue par une harmonie exceptionnelle. Nous avons maintenant tout l'après-midi pour découvrir des endroits superbes, qui sont à deux pas. On pourra opter pour Pienza, la petite ville du pape Pie II, ou pour Montepulciano, avec ses palais prestigieux, sa belle piazza Grande et ses vieilles caves, pour s'arrêter ensuite, sur le chemin du retour, pour visiter la magnifique église San Biagio. On remonte à Montefollonico, qui, après une courte promenade, n'a plus beaucoup de secrets. À La Chiusa, la gentillesse d'Umberto et les plats sublimes de Dania nous réservent encore une soirée exceptionnelle.

5ᵉ jour – Mercredi
Montefollonico – Montepulciano

Ce matin, les confitures et autres délices nous sont à nouveau apportés par les mains de fée de la maîtresse de maison, qui, élégante comme toujours, sort de la cuisine comme elle le ferait d'une boutique de mode. Mais voici déjà l'heure des adieux. Le séjour a été court, mais tellement agréable qu'il nous donne envie de le renouveler au plus vite et le plus longtemps possible. Par Montepulciano, on rejoint l'autoroute du Soleil, qui reste le moyen le plus facile d'atteindre n'importe quelle destination.

Itinéraire d'octobre

Octobre : truffes et champignons au pays de Piero della Francesca
5 jours de la deuxième ou de la troisième semaine d'octobre

1ᵉʳ jour – Vendredi
Arezzo – Sansepolcro (Gricignano)

Au début de l'après-midi, on visite à Arezzo l'**église San Francesco** qui abrite l'extraordinaire cycle de fresques de La Légende de la Vraie Croix. La restauration, menée selon des méthodes rigoureusement scientifiques, a rendu à ce chef-d'œuvre son intensité chromatique, ses couleurs et sa luminosité : on découvre la peinture de Piero della Francesca dans toute sa force d'expression. On prend la route de Sansepolcro. Le **Centro ippico agrituristico Podere Violino** est situé à Gricignano, quelques kilomètres avant Sansepolcro, dans le cadre verdoyant de la vallée du Tibre. Nous sommes accueillis dans une ferme restaurée, dont les salles et les chambres ont été habilement rénovées sans rien perdre de leur charme original. À l'intérieur, on est aussitôt plongé dans un climat de chaude hospitalité. Roberta, la propriétaire, décida un jour, sur un coup de tête, de quitter la ville et de consacrer ses journées à sa grande passion : le cheval. Une fois installée dans cette propriété, elle a transformé la maison d'habitation en aménageant des chambres d'hôtes ; tout autour, elle a mis sur pied un centre d'équitation magnifiquement organisé, où elle fait office de moniteur. Les activités de ce séjour peuvent être adaptées aux goûts et aux capacités de chacun : si l'on s'intéresse à l'équitation, on pourra choisir un des programmes proposé par le centre ; les uns prendront des cours d'initiation, les autres iront se promener sur les chemins et dans les villages de cette superbe vallée. Au dîner, l'atmosphère de la petite salle offre, comme les plats qui sont servis, une saveur de simplicité et d'authenticité.

Église San Francesco
piazza San Francesco
visite des fresques sur réservation,
tél. 0575.900404
horaires : lundi-vendredi 9-17.30,
samedi 9-17, dimanche 13-17

Centro ippico agrituristico
Podere Violino
Gricignano (Sansepolcro),
tél. et fax 0575.720323
ou 0575.720174

2ᵉ jour – Samedi
Sansepolcro – Sant'Angelo in Vado – Sansepolcro

À partir du deuxième week-end d'octobre, Sant'Angelo in Vado célèbre les produits de son terroir tous les samedis et tous les dimanches, pendant quatre semaines : c'est vers ce beau petit village que nous nous dirigeons d'abord.

À Sansepolcro, on prend la direction d'Urbino : la route, qui traverse un paysage de bois et de collines, traverse successivement le territoire de la Toscane, de l'Ombrie et des Marches. C'est une terre où se mêlent les dialectes, les traditions et la gastronomie des trois régions, et Sant'Angelo est certainement un exemple de ce mélange. À l'occasion des festivités, les rues se transforment en un gigantesque marché, où chacun expose devant sa porte les produits de sa parcelle, de son verger, de son oliveraie ou de son potager. Les uns proposent des confitures, les autres du fromage, les autres encore des châtaignes ramassées dans les bois ou des produits plus recherchés, comme les cèpes ou les truffes. C'est un plaisir de se retrouver pendant quelques heures dans un monde qui ne semble pas seulement en dehors du temps, mais aussi en dehors de la réalité. Ici, pas de balances : les quantités sont estimées à vue d'œil. On vend une poignée de noisettes, une tasse d'olives, cinq petites pommes rouges ou un lot de truffes noires ; la balance ne sert qu'à peser la précieuse truffe blanche. À l'heure du déjeuner, on se dirige vers un établissement au nom étrange : la **trattoria Tadeo e Federico da Mario**. Seul le dernier prénom désigne le propriétaire ; les deux autres conservent simplement le souvenir des Zuccari, deux peintres célèbres du XVIᵉ siècle nés à Sant'Angelo. Pour se restaurer, il faut néanmoins continuer jusqu'au palais Mercuri, où Mario propose une sorte de buffet gastronomique ; nous pourrons y goûter ses préparations les plus originales, comme la timbale de pommes de terre à la truffe blanche, la fondue de pecorino de Montefeltro ou les cappelletti farcis de pecorino de Montefeltro à la truffe blanche. L'après-midi, nous nous arrêtons à Sansepolcro, dont le centre historique abrite des palais Renaissance, ainsi que des maisons du XIVᵉ siècle. Au numéro 18 de la via Matteotti, on peut admirer de superbes dentelles, une des activités artisanales les plus anciennes de cette ville ; dans la via XX Settembre, les ateliers d'orfèvrerie et les bijouteries attestent l'importance d'une autre tradition : le travail de l'or. Le soir, nous irons dîner au **restaurant L'Oroscopo**, un établissement élégant et agréable où Paola et Marco Mercati proposent une cuisine d'un grand raffinement.

Trattoria
Taddeo e Federico da Mario
via Mancini 4
Sant'Angelo in Vado
tél. 0722.810101

Restaurant L'Oroscopo
di Paola e Marco
via Togliatti 68
Pieve Vecchia (Sansepolcro)
tél. 0575.734875
fermé dimanche ;
ouvert uniquement le soir

3ᵉ jour – Dimanche
Sansepolcro – Anghiari – Sansepolcro

Après le petit déjeuner, on consacre la matinée à Piero della Francesca et à sa ville natale. On commence par le **Museo civico** de Sansepolcro, qui abrite quelques-unes de ses œuvres les plus significatives : la fresque de la Résurrection, le polyptyque de la Vierge de miséricorde, ainsi que deux fragments de fresques représentant saint Julien et saint Louis. Dans les autres salles sont exposées des œuvres de Signorelli, du Pontormo, de Santi di Tito et du Pérugin. La grande salle du sous-sol, dont les voûtes d'arête sont soulignées par des nervures en terre cuite, abrite un bas-relief monumental de style roman, véritable rareté par ses dimensions, son sujet et la période à laquelle il remonte. En sortant du musée, on peut admirer un peu plus loin, au numéro 71, le beau palais Renaissance qui fut la demeure du peintre. Siège de la fondation Piero della Francesca, il ne se visite qu'à l'occasion de manifestations particulières. On se rend ensuite à la **cathédrale**, qui remonte à l'époque romane. À l'intérieur, on peut admirer une singulière

Museo civico
via Aggiunti 5
Sansepolcro, tél. 0575.732218
horaires : octobre-mai 9.30-13,
14.30-18 ; juin-septembre 9-13.30,
14.30-19.30

Cathédrale de Sansepolcro
Via Giacomo Matteotti
Sansepolcro, tél. 0575.742129
horaires : 7-12, 15-19 tous les jours

sculpture en bois qui représente le Christ crucifié. L'œuvre est connue sous le nom de crucifix de la Sainte Face, parce que la tradition légendaire l'attribue à Nicodème, qui l'aurait exécutée au pied de la croix. Objet d'une grande vénération, ce crucifix passe, depuis toujours, pour posséder des vertus miraculeuses. On visitera aussi l'église San Lorenzo, qui conserve une splendide Déposition de Rosso Fiorentino, ainsi que l'église San Francesco, construite à la fin du XIIIᵉ et au début du XIVᵉ siècle, qui possède un beau cloître. On quitte Sansepolcro pour monter vers Anghiari, petite bourgade perchée sur un des promontoires dominant la vallée du Tibre, et dont les vieilles rues médiévales sont parfaitement conservées. D'origine romaine, elle fut connue sous le nom de *Castrum angulare*, qui renvoie peut-être à la forme de l'éperon rocheux sur lequel elle se dresse. Dans l'histoire, son nom est resté attaché à la bataille que les Florentins remportèrent sur les Milanais, et que Léonard de Vinci représenta dans une fresque célèbre, aujourd'hui perdue, du Palazzo Vecchio de Florence. Pour déjeuner, nous avons réservé chez **Nena**, une vieille trattoria où l'on ne manquera pas de goûter un plat réputé, création originale de la maison : le délicieux pâté de gibier, composé de viande de faisan et de perdrix. Pour la suite, on choisira un des plats à base de champignons, l'autre spécialité de la maison. L'après-midi, la promenade dans les rues bordées de palais et de maisons anciennes nous conduira jusqu'à la piazza del Popolo. Rien n'empêche de s'arrêter un moment dans une des boutiques ouvertes le dimanche. Si l'on a de la chance, on aura peut-être l'occasion d'assister à la répétition d'un spectacle théâtral : en cette saison, le théâtre d'Anghiari organise en effet des manifestations en collaboration avec des compagnies étrangères. Après notre promenade, nous rentrons au Podere Violino, où nous nous réservons une soirée de détente.

Restaurant Nena
corso Matteotti 14
Anghiari, tél. 0575.789491
fermé lundi

4ᵉ jour – Lundi
Sansepolcro – Caprese Michelangelo – Badia Tedalda – Sansepolcro

Même si l'itinéraire est consacré à Piero della Francesca, il est impossible d'ignorer un petit village qui a vu naître un peintre encore plus célèbre : Michel-Ange. Dominé par son château, Caprese Michelangelo sera le but de notre excursion d'aujourd'hui. On prend la route d'Anghiari, puis on tourne à droite vers Albiano ; après San Teodoro, on arrive au village natal de Michel-Ange. Situé à quelque sept cents mètres d'altitude, il est entouré d'une campagne boisée où abondent les sources. Habité successivement par les Ligures, les Ombriens et les Étrusques, il a connu une histoire tourmentée, marquée par les guerres et les invasions. À l'intérieur du château du XIVᵉ siècle, qui a été restauré, se trouve la casa del Podestà : c'est là que naquit Michel-Ange, dont le père exerçait à cette époque la charge de premier magistrat de la commune. Aujourd'hui, l'édifice abrite la mairie, ainsi qu'un musée qui conserve des œuvres originales et des copies du grand artiste. Après avoir visité le château et le **Museo michelangiolesco**, nous faisons une courte étape au restaurant **Buca di Michelangelo**, situé non loin de là. On prend ensuite la direction de Pieve Santo Stefano pour gagner Badia Tedalda. Avant d'arriver, un léger détour nous conduira jusqu'à l'**ermitage de Cerbaiolo**, petite construction accrochée au rocher remontant au VIIIᵉ siècle. Au XVIIIᵉ siècle, son petit oratoire a été consacré à saint Antoine de Padoue, et, aujourd'hui encore, on y conserve le grabat où le saint se reposa. Néanmoins, l'ermitage n'est visible que de l'extérieur. Dans cette partie de la Toscane, le patrimoine historique et religieux réunit un grand nombre d'exemples d'art roman : outre l'ermitage de Cerbaiolo, il faut aussi mentionner le couvent de la Verna et les abbayes de Tifi et de Subcastelli. On reprend la route, et

Museo michelangiolesco
via Capoluogo
Caprese Michelangelo
tél. 0575.793776
horaires : 16 juin-31 octobre
9.30-18.30 (jours ouvrables),
9.30-19.30 (jours fériés) ;
1° novembre-15 juin
10-17 (jours ouvrables),
10-18 (jours fériés) ;
fermé lundi

Restaurant
Buca di Michelangelo
via Roma 51
Caprese Michelangelo
tél. 0575.793921 fermé mercredi

le parcours offre un spectacle particulièrement saisissant. Dans les vallées et dans les clairières paissent des troupeaux de vaches blanches, qui appartiennent à une race élevée dans la région avec le plus grand soin. Les couleurs de l'automne se mêlent aux taches brunes des charbonnières, survivances d'une des plus anciennes activités de la vallée jalousement conservées par les habitants. On arrive à Badia, où l'on aura peut-être le temps d'admirer les cinq terres cuites vernissées conservées à l'abbaye de San Michele. Mais ce qui justifie notre visite, c'est surtout le **festival de la Truffe**, qui a lieu à cette époque. Le restaurant **Il Sottobosco** est le promoteur d'une manifestation gastronomique qui nous permettra de déguster ses délicieuses spécialités. Les lundis et les mardis d'octobre, Domenico Gregori réunit en effet quelques cuisiniers qui rivalisent d'invention pour préparer ce mets tant apprécié. Le dîner sera donc une sorte de prélude à ce concours. Après le spectacle de numéros comiques, qui clôture le repas dans la bonne humeur, nous rentrons au Podere Violino. Le trajet nous prendra peut-être plus de temps que d'habitude, mais le jeu en valait la chandelle.

Festival de la Truffe
Restaurant Il Sottobosco
Svolta del Podere (Badia Tedalda)
tél. 0575.714240

5ᵉ jour – Mardi
Sansepolcro – Monterchi – Anghiari – Sansepolcro

Ce matin, nous partirons plus tard, en nous préparant à admirer l'une des œuvres les plus saisissantes de Piero della Francesca. Un sujet inhabituel, une atmosphère tendre, un résultat exceptionnel : la Madonna del Parto est conservée à Monterchi, petit bourg situé non loin de Sansepolcro, dans une école transformée en musée. Cette œuvre d'une beauté éclatante, qui est restée méconnue pendant si longtemps, baigne dans une atmosphère de tendresse et d'humanité. L'endroit, qui privilégie la simplicité de la présentation, la met remarquablement en valeur ; la petite exposition qui décrit les étapes de sa restauration mise de la même façon sur la sobriété, mais n'a rien à envier aux grands musées. Le peintre avait dédié son œuvre à sa mère, enterrée à Monterchi, et c'est ainsi que s'explique peut-être le sujet de la composition : une Vierge représentée enceinte, la main posée sur le ventre. Longtemps conservée dans une petite église, la Madonna del Parto avait souffert de l'usure du temps, mais un travail exceptionnel de restauration lui a rendu son ancienne splendeur. À Monterchi, on peut aussi visiter le palais Massi-Alberti, via XX Settembre, qui abrite le **musée des Poids et des balances** de la collection Ortolani, ensemble insolite et rare par le nombre et la variété des pièces. Après la visite, on continue à monter jusqu'à la **taverne œnothèque Al Travato**, un vieil établissement situé au pied du promontoire qui domine le bourg. C'est l'endroit idéal pour se restaurer : on pourra goûter la minestra composta, une spécialité de Monterchi.

Le dernier après-midi est consacré aux achats : le parcours permettra de nous fournir directement chez les fabricants et producteurs. Mais avant de repartir, n'oublions pas de passer à **la Bottega del Pozzo Vecchio**, à côté du musée, où nous pourrons acheter des spécialités régionales. On reprend la route en se dirigeant vers Anghiari, où, depuis 1842, la **tessitura Busatti** est installée au rez-de-chaussée et dans les caves du palais Morgalanti : ses tissus rustiques et prestigieux sont uniquement composés de fibres naturelles. Les vieilles cardeuses travaillent les grosses laines de l'Apennin, tandis que les vieux métiers à tisser permettent encore de reproduire les motifs traditionnels, selon les techniques de jadis. Toujours à Anghiari, le **Calzaturificio Soldini** propose des chaussures de luxe, pour hommes et pour dames. On quitte Anghiari pour retourner à Sansepolcro. Le magasin **Autostir (Ingram)** est, depuis des années, un spécialiste

Museo della Madonna del Parto
via Reglia 1, Monterchi
tél. 0575.70713
horaires : 9-13, 14-18 ;
juillet et août : 21-23.30 ;
fermé lundi

Museo dei pesi e delle bilance
Palazzo Massi-Alberti
via XX Settembre, Monterchi
tél. 0575.70713
horaires : 9-13, 14-18
fermé lundi

Taverne œnothèque Al Travato
piazza Umberto I 20
Monterchi, tél. 0575.70111
fermé lundi

La Bottega del Pozzo Vecchio
via Ospedale, 13
Monterchi, tél. 0575.70743

Tessitura Busatti
via Mazzini
Anghiari, tél. 0575.788013

Calzaturificio Soldini
via della Battaglia 19
Anghiari, tel 0575.789731

Autostir Ingram
via Inghirami 1
Sansepolcro, tél. 0575.735873

de la chemise, alors que la boutique **Cose di Lana** vend des pull-overs pour hommes, ainsi que des gilets, des cardigans et des ensembles pour dames, classiques ou à la mode. Pour entrer dans le royaume des plantes, des tisanes et des vieux remèdes, il faut pousser la porte du magasin **Aboca** : ainsi, nous terminerons en beauté notre itinéraire. Ce soir, nous profitons de la chaude atmosphère du Podere Violino et, pour le dîner d'adieu, nous allons trouver Roberta pour lui formuler nos souhaits.

Cose di Lana
zona industriale Santa Fiora
Sansepolcro, tél. 0575.720333

Aboca
Aboca (Sansepolcro),
tél. 0575.7461

6e jour – Mercredi
Sansepolcro

Voici venu le moment du départ. Après avoir salué Roberta, ses chevaux et la vallée du Tibre, nous prenons la route express jusqu'à Pérouse, puis nous rejoignons l'autoroute à Valdichiana, si nous repartons vers le Sud. Si nous prenons la direction du Nord, nous suivons la route qui serpente le long de la vallée, en passant par Palazzo del Pero, et nous rejoignons l'autoroute du Soleil à Arezzo.

Itinéraire de *novembre*

Novembre : le chianti, le brunello et les saveurs de la ferme
6 jours de la première ou de la deuxième semaine de novembre

1er jour – Samedi
Radda in Chianti

Pour atteindre Radda, où commence et finit cet itinéraire, il existe une route qui mène au cœur du Chianti : l'antique via Cassia, que l'on peut emprunter à partir de Florence ou à partir de Sienne. Il suffit de suivre cette route qui relie les deux provinces pour se faire une idée de l'intérêt historique et paysager de cette partie de la Toscane. Moins séduisante mais plus pratique, l'autoroute du Soleil permet aussi de rejoindre le Chianti en sortant à Valdarno. En suivant ensuite la direction de Gaiole, on quitte bientôt la plaine pour s'engager dans un paysage de collines ; on continue en direction de Radda et, après l'avoir traversée, on continue vers Volpaia.

Située à six cents mètres d'altitude, dans le plus beau paysage du Chianti, le relais **La Locanda** a été aménagé dans une ancienne ferme entourée de bois, d'oliviers et de vignes, face au bourg médiéval de Volpaia. L'atmosphère et l'hospitalité sont celles d'une maison de campagne confortable, tenue directement par les propriétaires. C'est ainsi que Martina et Guido présentent leur petit relais, qu'ils ont choisi comme lieu de vie et de travail, après avoir renoncé à la ville. C'est ici que l'on essaiera, ne fût-ce que pour quelques jours, d'oublier le stress et l'agitation de la vie de tous les jours. Le choix de la chambre ne sera pas difficile, car il n'y a que six chambres doubles et une suite. La chambre qui est surmontée d'un arc est la plus grande ; quatre chambres offrent un panorama étonnant sur la campagne alentour. Dans la bibliothèque, un apéritif nous attend, mais pour le déguster, on sera plus à l'aise dans le salon. En cette saison, le feu est déjà allumé : aménagée dans une ancienne étable, la pièce est chaude et accueillante. On peut en dire autant de la délicieuse salle à manger, où nous sera bientôt servi le dîner : nul doute qu'il sera à la hauteur du décor.

Relais La Locanda
Montanino di Volpaia
Radda in Chianti
tél. et fax 0577.738833

2e jour – Dimanche
Radda – Gaiole – Brolio – Cacchiano – Radda

S'il fait beau, on peut prendre le petit déjeuner sur la terrasse, devant les collines couvertes de vignes qui s'étendent à perte de vue. Le Chianti est réputé dans le monde entier pour son vin, mais aussi pour la beauté de ses paysages et de sa nature. Outre la mise en valeur des terres, cette réputation a favorisé l'essor du tourisme, si bien que le Chianti est aujourd'hui une destination de vacances pendant une grande partie de l'année. Si la nature lui a donné ses vertes collines et ses bois de chênes et de châtaigniers, des siècles et des siècles d'histoire ont aussi laissé leur empreinte : la région est parsemée de bourgs, de châteaux, d'églises et de palais, qui sont autant de trésors artistiques ; dans les campagnes, le travail de tout un peuple de paysans a permis de gagner sur la forêt d'immenses étendues cultivées, aujourd'hui occupées par les champs d'oliviers ou par les vignes. En novembre, les touristes se font plus rares, et après les vendanges, l'animation locale est souvent associée à la viticulture, tandis que débute la cueillette des olives. En cette saison, c'est le vrai visage du Chianti qu'il est permis de découvrir. Cette première journée sera consacrée à la visite des caves les plus prestigieuses et aux châteaux qui appartiennent à l'histoire la plus ancienne.

On quitte Radda pour suivre la nationale 429 : au kilomètre 30, on laisse la route pour rejoindre la **villa Vistarenni**, une construction du XVIe siècle parfaitement conservée. Nous aurons pris rendez-vous pour visiter les belles caves de ce domaine viticole où l'on peut acheter des vins prestigieux comme le Chianti Classico Assòlo, le Codirosso, le Chianti Classico Gallo Nero de la fattoria di Vistarenni, ainsi que du Vinsanto, du vinaigre, de la grappa et de l'huile d'olive vierge extra. En prenant la route de Sienne, dans la direction de Badia a Coltibuono, on continue vers Gaiole in Chianti : non loin de là, on admirera le château de Vertine et son enceinte du début du XIe siècle. Dans les environs, on peut voir aussi le **château de Spaltenna**, un des plus beaux du Chianti : une partie de cette forteresse, abritant encore son église romane, a été transformée en hôtel confortable et original, où les chambres ont été aménagées dans les cellules des moines et dans les deux tours latérales. Les premières traces de l'église de Spaltenna remontent à l'an 1003, quand son nom était encore celui de San Pietro in Avernano. Dans un excellent état de conservation, elle a bénéficié récemment d'une minutieuse restauration, qui lui a rendu sa simplicité originelle. Un peu plus loin, à la hauteur de la route qui mène à Castagnoli, on aperçoit le château de Meleto, qui se dressait autrefois à la limite des territoires de Florence et de Sienne : pendant des siècles, les deux républiques rivales ne cessèrent de se le disputer, si bien que le château fut le théâtre d'un nombre étonnant de combats et de sièges. Détruit et reconstruit à plusieurs reprises, il fut transformé en villa au XVIIIe siècle. Si l'intérieur a été remanié, l'extérieur et les tours, restés inchangés, conservent tout leur pouvoir d'évocation. On reprend la direction de Sienne, puis on suit la nationale 484, qui mène à Castelnuovo Berardenga. Arrivés devant une allée de cyprès, nous nous arrêtons à l'**Osteria del Castello di Brolio**, où le chef, d'origine irlandaise, mais toscan d'adoption, nous régalera de ses mets succulents. On part visiter le château ; protégé par de hautes murailles et de puissants bastions, il incarne toute l'histoire du Chianti. Cette austère forteresse, jadis entourée d'épaisses forêts, apparaît aujourd'hui dans une lumière éclatante : la couleur rouge de ses briques contraste avec les couleurs automnales du vignoble. Depuis près de mille ans, le château est la propriété des Ricasoli-Firidolfi, qui l'habitent encore aujourd'hui. C'est de cette famille qu'était issu le baron Bettino, surnommé le « baron de fer », qui, après des années

Fattoria di Vistarenni
Radda in Chianti
tél. 0577.738186
visite sur rendez-vous

Hôtel Castello di Spaltenna
Gaiole in Chianti
tél. 0577.740483

Restaurant
Osteria del Castello di Brolio
Gaiole in Chianti
tél. 0577.747277
fermé jeudi

Château di Brolio
Gaiole in Chianti
tél. 0577.747188
visite des caves sur rendez-vous
horaires : hiver 9-12, 14.30-17 ;
été 9-12, 15-18 (jours fériés 15-19)

de recherches, mit au point en 1860 la fabrication du Chianti Classico, dans une des salles de ce palais qu'il avait fait construire à l'intérieur de la forteresse. On visitera aussi le jardin à l'italienne, qui donne sur le vignoble et sur de longues rangées de cyprès, ainsi que la petite église San Iacopo, qui abrite une crypte et deux polyptyques du XIVᵉ siècle : c'est là que reposent Bettino et les autres membres de la famille Ricasoli. Depuis le chemin de ronde et les tours de guet, on peut admirer le splendide paysage de collines, hérissées de bourgs et de hameaux, couvertes de champs, de jardins, de vignes, d'oliviers ou de bois, qui s'étendent jusqu'à l'horizon. Avec Barbara et Riccardo, on visite, sur rendez-vous, les magnifiques caves, la fabrique de Vinsanto, ainsi que la salle des vieilles cuvées où l'on conserve une bouteille de 1841 : elle faisait partie de celles que Bettino envoya en 1847 à un congrès de Florence et qui était l'aboutissement de vingt années de recherches. Cent vingt années plus tard, la législation sur les appellations d'origine contrôlée imposa, dans le Chianti, le respect de la formule du Brolio, qui avait permis la production de ces bouteilles. À l'œnothèque qui se trouve à l'entrée, on peut déguster et acheter les vins et les produits de l'entreprise agricole, comme le Brolio Vinsanto et le dernier-né : une délicieuse huile vierge extra, extraite d'olives cueillies à la main et pressées à la meule de pierre. On rebrousse chemin sur la nationale 484 ; au kilomètre 34, une bifurcation mène au **château de Cacchiano**. Nous sommes toujours sur les terres des Ricasoli-Firidolfi : rattachée au territoire de Florence dès le XIIIᵉ siècle, la forteresse fut, comme le château de Brolio, livrée aux flammes par les Siennois. Une aile fut transformée en villa à la Renaissance, de sorte que, des vestiges du Moyen ge, il ne reste pas grand-chose. Héritier de la noble lignée et de Bettino Ricasoli, Giovanni Ricasoli-Firidolfi s'occupe avec sa mère de cette propriété. Viticulteur passionné, il perpétue la tradition millénaire du domaine viticole, sans renoncer pour autant aux innovations offertes par les nouvelles techniques. Aujourd'hui, il est capitaine général de la Ligue du Chianti, une organisation vieille de plus de sept siècles. Fondée à l'initiative de la république de Florence, la Ligue était à l'origine une organisation militaire chargée d'administrer le territoire et de défendre les frontières méridionales. Quand prit fin la période des guerres et que les terres furent réparties définitivement entre les communes de Gaiole, de Radda et de Castellina, le siège de la Ligue du Chianti fut installé à Radda, et la vénérable institution, désormais investie de compétences civiles et administratives, fut chargée de la gestion et de la protection des terres et des cultures. À la fin du XVIIIᵉ siècle, elle fut dissoute par le grand-duc Léopold, mais deux siècles plus tard, elle retrouva curieusement une raison d'être. Rétablie en 1970, la Ligue du Chianti s'occupe en effet aujourd'hui non plus de tâches militaires mais de la promotion de manifestations culturelles, œnologiques et gastronomiques, ainsi que de la mise en valeur du territoire et de la vie rurale. Après la visite, on reprend la route de Gaiole, en passant par Radda, puis on rentre à la Locanda, chargés de vin et d'histoire, pour se reposer dans son agréable atmosphère.

Château di Cacchiano
Gaiole in Chianti
tél. 0577.747018
visites sur rendez-vous

3ᵉ jour – Lundi
Radda – Badia a Coltibuono – Volpaia – Radda

Le matin, on se rend à Radda pour faire des achats dans le petit centre historique. On prend la route de Montevarchi, puis on continue jusqu'à Badia a Coltibuono. Là, au pied d'une colline boisée, s'étendent les vestiges d'une abbaye qui, du début du XIᵉ au début du XIXᵉ siècle, dépendit de l'abbaye de Vallombreuse. Il ne reste que la tour d'un clocher et l'église San Lorenzo a Coltibuono, une des plus belles églises romanes du Chianti. À côté, le monastère a été transformé en une magnifique résidence de campagne : la **Tenuta di Coltibuono**, qui organise des dégustations, ainsi que des visites des jardins et des vieilles caves. On trouvera aussi une vaste gamme de vins et de produits en vente à l'**Osteria**. On quitte Badia a Coltibuono pour déjeuner à la trattoria **Le Vigne**, située à La Villa. Après le repas, on se repose un moment à la Locanda, puis on repart pour Volpaia. Ancienne position fortifiée, la petite bourgade a perdu une grande partie de son enceinte, mais des travaux de restauration ont permis de rendre son éclat au château, à la petite place, aux maisons médiévales et à un édifice religieux du XVe siècle, la commanderie de Sant'Eufrosino. C'est un petit monde au charme discret, particulier, propriété de Giovannella Stianti ; son mari, Carlo Mascheroni, en est le maître d'œuvre. Durant l'été, des expositions et diverses manifestations y sont organisées : on danse sur la place et on assiste à des feux d'artifice. Aujourd'hui, notre journée est animée par un cours de cuisine et par la visite du pressoir et des caves de la **Fattoria di Volpaia**, où Giovannella Stianti nous offre le café, tandis que nous réfléchissons au menu de ce soir. Après avoir préparé les ingrédients, on commence ensemble à cuisiner. Puis on laisse les fourneaux pour se rendre au pressoir, en compagnie de Giovannella. La transformation des olives en huile est un spectacle fascinant dans toutes ses étapes, depuis le lavage jusqu'au pressurage, depuis l'écoulement lent de la pulpe jusqu'au jaillissement du liquide, encore opaque et dense. Du pressoir, on passe aux caves et, durant la visite, on choisit le vin à déguster ce soir. Le dîner commencera par une fettunta (tranches de pain grillé, frottées à l'ail et trempées dans l'huile toute fraîche) : c'est le plat qui s'impose quand on presse la nouvelle récolte d'olives ; il se poursuivra par les plats que nous avons préparés, suivis de commentaires sur les recettes. Quittant la fattoria, on rentre à la Locanda.

4ᵉ jour – Mardi
Radda – Montalcino – Radda

On quitte la région du Chianti pour consacrer la journée au prestigieux brunello de Montalcino. On prend la route de Castellina, puis la via Cassia, en traversant la partie siennoise du Chianti, aux paysages plus ouverts et plus doux. Par le contournement de Sienne, en montant à Siena-Nord, on prend la direction de Rome et, un peu après Buonconvento, on tourne à droite pour Montalcino. Perché sur la colline et entouré de puissantes murailles, Montalcino accueillit en 1555 les Siennois qui fuyaient l'invasion des troupes impériales et florentines ; refusant de se soumettre à Florence, ils restèrent ici pendant quatre ans, en essayant d'entretenir l'illusion de leur indépendance. Aujourd'hui, la forteresse médiévale qui domine le bourg abrite une œnothèque réputée pour les dégustations de Brunello. Comme le Chianti, Montalcino possède son noble inventeur : si Bettino Ricasoli mit au point la formule du Brolio, c'est à Clement Santi qu'il revient d'avoir créé le cépage du Brunello. La famille des Santi, de vieille noblesse, possède un groupe de trois entreprises : nous réserverons notre première visite à l'historique **Tenuta del Greppo** et à ses caves. Puis on passe à la **Fattoria del Casato**, l'une des caves les plus récentes, dirigées par une équipe entièrement féminine ; on y conserve d'excellentes cuvées, ainsi que la dernière création, qui porte l'appellation « Prime Donne ». On déjeune au **restaurant Poggio Antico**, au sommet de la colline des Lecci ; outre une excellente cuisine régionale, il nous offre un panorama superbe sur la campagne, au sud de Montalcino. Au début de l'après-midi, on visite **Altesino**, une autre maison prestigieuse qui possède de magnifiques caves. Mais on ne peut pas quitter Montalcino sans avoir admiré l'**abbaye de Sant'Antimo**, qui se dresse dans sa splendeur solitaire au milieu de la campagne. On reprend la route de Sienne, puis le périphérique que l'on quitte à Siena-Nord pour prendre la route de Castellina in Chianti. Martina et Guido nous attendent à la Locanda avec un apéritif et le feu allumé.

Tenuta di Coltibuono et Osteria
Gaiole in Chianti
tél. 0577.749498
visites sur rendez-vous

Trattoria Le Vigne
La Villa
Radda in Chianti
tél. 0577.738640 ; fermé mardi

Fattoria di Volpaia
Volpaia
Radda in Chianti
tél. 0577.738066
école de cuisine et
visites sur rendez-vous

Tenuta del Greppo
Montalcino
Sienne tél. 0577.848087
ou 0577.847121
visites sur rendez-vous

Fattoria del Casato
Podernovi (Montalcino),
tél. 0577.849421
visites sur rendez-vous

Restaurant Poggio Antico
I Poggi (Montalcino),
tél. 0577.849200
fermé lundi

Fattoria Altesino
Altesino
Montalcino, tél. 0577.806208
visites sur rendez-vous

Abbaye de Sant'Antimo
Castelnuovo dell'Abate
Montalcino, tél. 0577.835659
horaires : jours ouvrables
10.30-12.30, 15-18.30 ;
jours fériés 9-10.30, 15-18

5ᵉ jour – Mercredi
Radda – Monte San Michele – Volpaia – Radda

De la Locanda partent des sentiers de randonnée, tous balisés et ne présentant pas de difficultés. Cette journée est consacrée à la découverte du plaisir de la marche, au contact direct de la nature. Nous découvrirons un peu mieux le Chianti, nous en écouterons les silences et nous sentirons ses parfums, tout en contemplant le lent défilé de son paysage. Nous suivrons le parcours qui conduit à Monte San Michele et qui, au retour, passe par Volpaia. Cette fois, nous nous arrêterons pour manger quelque chose à la **Bottega di Carla**, qui donne sur une délicieuse petite place. On passe saluer Giovannella, puis on repart pour la Locanda : ce soir, la chaleur du feu, le confort des fauteuils et le sympathique repas seront encore plus appréciés.

6ᵉ jour – Jeudi
Radda – Panzano – Greve – Passignano – Florence – Radda

Aujourd'hui, on part assez tôt, parce qu'il y a beaucoup de choses à faire. À Castellina, on reprend la via Cassia, cette fois en direction de Florence. On s'arrête d'abord à Panzano pour admirer l'église romane San Leolino, pourvue de belles arcades du XVIᵉ siècle. De Panzano, un chemin de terre, qui offre de superbes coups d'œil, nous conduit directement à **Badia di Passignano** : c'est en arrivant par ce chemin que l'ensemble abbatial nous apparaît dans toute sa splendeur. Construite sur une légère hauteur, au milieu d'un paysage caractéristique du Chianti, entourée d'un rideau sombre de cyprès, l'abbaye ressemble, de loin, à une forteresse inaccessible. L'impression de se trouver dans une sorte de citadelle fortifiée est confirmée à notre arrivée : un grand portail nous sépare de la petite place où se dressent l'église et le monastère ; il faut sonner après avoir téléphoné, puis attendre que Don Biagio nous ouvre. Derrière ce portail, qui paraît infranchissable, l'ensemble perd un peu de son austérité : c'est la beauté des jardins et l'équilibre des architectures qui frappe le visiteur. On reste admiratif devant l'élégance de la tour, l'ordonnance du potager ou l'harmonie du cloître, qui invite au recueillement. Dépendance de l'abbaye bénédictine de Vallombreuse, l'abbaye connut les prodiges d'un saint qui y mourut, souffrit des luttes du Moyen Âge, profita de l'apogée de Florence au temps des Médicis, avant d'être supprimée par Napoléon puis vendue aux enchères. Acquise avec ses terres par la famille Antinori, elle fut rendue, près d'un siècle plus tard, à l'ordre des vallombrosiens. La famille a néanmoins conservé les vignobles des alentours et utilise les superbes caves de l'abbaye, qui abritent la précieuse production de la maison Antinori. On visite le réfectoire, dont le mur du fond est orné d'une Cène de Ghirlandaio, ainsi que les cuisines, équipées d'une immense cheminée, et le cloître intérieur, où des fragments de fresques sont encore visibles. La visite est courte, mais il suffit de revoir le jardin potager pour conserver l'image d'une beauté harmonieuse. La route que l'on reprend n'est pas facile au début, mais elle offre le plaisir de passer entre les vignes dorées, sur l'arête qui conduit à Montefiridolfi. Avant d'arriver au village, on suit la direction du Ferrone : le domaine Antinori se poursuit sur les collines ondulées. On continue en direction de Greve, puis à Greti, on se dirige vers le **château de Verrazzano**. Giovanni, le célèbre navigateur qui découvrit la baie d'Hudson, naquit dans cette demeure en 1485. Aujourd'hui, le château est une villa de rêve habitée par ses propriétaires. Ornés de citronniers, les jardins s'étendent autour du grand bassin, puis se prolongent par des pelouses jusqu'à un petit bois, où l'on appelle les sangliers en claquant des mains.

Badia a Passignano
Passignano
Tavarnelle Val di Pesa
tél. 055.8061722
visites accompagnées
fermé temporairement pour travaux

Château de Verrazzano
Greve in Chianti, tél. 055.854243

De la grande terrasse couverte, le regard embrasse un paysage à couper le souffle. À l'intérieur, on visite une magnifique cave, ainsi que le bâtiment où l'on fabrique le Vinsanto. À cette époque de l'année, le raisin blanc a déjà été cueilli, mais le viticulteur attend Noël pour faire son vin. Suspendus à de longs bâtons fixés au plafond, les raisins forment de véritables rideaux de grappes qui, une fois séchées, seront pressées ; puis le vin devra vieillir en fûts pendant cinq années. Après la visite, on passe dans la salle de dégustation, où un feu est allumé dans la grande cheminée : sur les braises cuisent de délicieuses saucisses. De grandes assiettes de charcuterie sont présentées sur les tables : les jambons ont séché dans la pénombre des caves, aux côtés des jarres d'huile. Bientôt, les verres seront remplis avec les vins à déguster durant le casse-croûte. Après le repas, on prend la via Chiantigiana pour se rendre à Florence, à laquelle nous consacrons au moins un après-midi de cet itinéraire : les uns y feront des achats, les autres visiteront les musées, le centre historique ou les environs. Ce soir, la Locanda ne nous servira pas à dîner : la soirée, elle aussi, sera réservée à Florence et à une de ses plus fameuses trattorias, **Il Sostanza**, qui, inchangée depuis des années, continue à servir les mets de toujours, aux saveurs inégalées. On rentre à Radda : c'est le dernier soir, il est tard et, dans la cheminée, le feu est éteint, comme pour marquer la fin de notre séjour.

Trattoria Il Sostanza
via della Porcellana 25r
Florence, tél. 055.212691
fermé dimanche

7ᵉ jour – Vendredi
Radda

Le matin, il faut bien saluer nos amis, Martina et Guido. Il sera difficile d'oublier leur hospitalité, leur gentillesse et l'accueil qu'ils nous ont réservé. Avec l'espoir de revenir un jour à la Locanda, on prend la route du retour.

Itinéraire de *décembre*

Décembre : à Florence, les achats et les cadeaux de Noël

1ᵉʳ jour – Jeudi
Florence

À Florence, on descend à l'**hôtel Il Loggiato dei Serviti**, un petit établissement qui possède le charme d'une belle maison du centre historique. On dîne au restaurant **Il Cibreo**. Fabio y prépare des mets simples, qui conservent les saveurs des vieilles recettes et qui sont présentés avec beaucoup de raffinement. En face, le café du Cibreo vous offre la possibilité de prendre un repas plus léger, mais tout aussi savoureux.

Hôtel Il Loggiato dei Serviti
piazza della Santissima
Annunziata 3 tél. 055.289592
fax 055.289595
info@loggiatodeiserviti.it
www.loggiatodeiserviti.it

Il Cibreo
via dei Macci 118r
tél. 055.2341100
fermé dimanche et lundi

2ᵉ jour – Vendredi
Florence

Non loin de l'hôtel, on pourra s'arrêter à l'**Opificio delle Pietre dure** pour admirer les chefs-d'œuvre exécutés selon la technique ingénieuse de la marqueterie de pierres précieuses, un art raffiné qui, depuis le XVIᵉ siècle, a inspiré la création de ces compositions exceptionnelles par leurs formes et leurs couleurs. En continuant vers le centre, on visite la **chapelle du palais Medici-Riccardi**, où défile l'élégant cortège des Rois mages de Benozzo Gozzoli. Puis, juste derrière le palais, on traverse la piazza San Lorenzo

Opificio delle Pietre dure
via degli Alfani 78,
tél. 055.265111
horaires : lundi-samedi 8.15-14

Palais Medici-Riccardi
Cappella dei Magi
via Cavour 1, tél. 055.2760340
horaires : 9-19, fermé mercredi

pour arriver au **Mercato Centrale**. Cette belle construction du XIXe siècle est le cœur vivant de Florence, même si l'activité n'est plus celle d'autrefois. Outre ses légumes frais, sa charcuterie et ses spécialités du terroir, le marché offre un véritable spectacle. Derrière les étals, fusent les commentaires et les plaisanteries. Au premier plan, les légumes de la campagne : les petits panneaux qui les accompagnent rivalisent d'invention pour vanter leurs mérites. Un casse-croûte à l'**Hosteria Belledonne** prolongera l'atmosphère du marché. Le comptoir orné de fruits et de légumes, le papier jaune sur les tables de bois où l'on mange serrés les uns contre les autres, l'animation bruyante et le tableau noir qui propose une vaste gamme de plats : tout nous donne l'impression de reculer dans le temps et de nous trouver dans une des vieilles tavernes d'autrefois. L'après-midi sera consacré au shopping. Chez **Tessilarte**, on peut trouver des nappes et des draps en lin, fabriqués selon les techniques traditionnelles ; à l'**Antico Setificio fiorentino**, ce sont des tissus d'ameublement en soie qui sont réalisés sur des métiers anciens : le plaisir de les voir fonctionner justifie la visite. À côté se trouve la boutique de **Brandimarte**, où l'argent est encore travaillé à la main par les héritiers et les disciples d'un homme qui fut un artiste génial et fascinant. On ne manquera pas de visiter la **moleria Locchi**, où Paola peut résoudre n'importe quel problème en matière de verre et de cristal. Pour les objets en argent, le grand maître est **Paolo Pagliai** : dans son beau magasin aux voûtes du XIIIe siècle, vous trouverez de l'argenterie ancienne, mais vous pourrez aussi faire reproduire un couvert perdu ou la pièce abîmée du service de famille (une possibilité que seule Florence, peut-être, est encore en mesure d'offrir). Le soir, on dîne à la **Cantinetta Antinori**, dans l'ancien palais de la famille homonyme, où l'on trouvera une vaste gamme de plats traditionnels et de vins de la maison.

3e jour – Samedi
Florence

La **pharmacie de Santa Maria Novella**, dont le pot-pourri fait désormais partie des parfums de Florence, reste une étape obligée. De l'intérieur, on peut jeter un coup d'œil sur un des cloîtres de l'église, fermé au public, pour passer ensuite à la visite des deux autres **cloîtres de Santa Maria Novella**, qui sont parmi les plus beaux de Florence. Non loin de là, les prestigieux magasins de la via Tornabuoni nous attendent. Dans sa boutique de rêve aux plafonds ornés de fresques, **Loretta Caponi** nous propose son linge, célèbre dans le monde entier ; quant à **Procacci**, il continue à nous séduire avec ses panini tartufati, dont les saveurs sont restées inchangées. Rien n'empêche, cependant, de s'éloigner un peu du centre historique pour goûter les gâteaux de **Dolci e Dolcezze** ou le **café de Piansa**. Non loin de là, on trouvera chez **Convivium** les produits les plus raffinés de la gastronomie toscane, et l'on terminera la journée par un petit casse-croûte dans la salle contiguë. Il suffit de traverser la rue pour découvrir, chez **Bianco Bianchi**, une des merveilles de l'artisanat florentin : ce maître de la scagliola, une technique particulière de stuc, longtemps méconnue et oubliée, est un artisan passionné qui continue à travailler avec ses fils. Il sera heureux de vous parler de la scagliola et de ses origines ; et si vous l'avez conquis, il vous laissera admirer, à l'étage, sa belle collection de pièces anciennes. En retournant vers le centre, on s'arrêtera au marché aux puces de la piazza dei Ciompi ; si vous cherchez un objet particulier, n'hésitez pas à visiter la petite boutique **Antichità** de Nuccia Colzi, située sur l'un des côtés de la place. Après avoir visité la **basilique Santa Croce**, ainsi que les **artisans du cuir**, dont les petites boutiques se trouvent derrière la sacristie, on ira voir la **chapelle des Pazzi**, chef-d'œuvre de Brunelleschi, avant de rejoindre le Ponte Vecchio en passant par

Mercato Centrale
via dell'Ariento,
lundi-samedi 7-14

Hosteria Belledonne
via delle Belledonne 6r
tél. 055.2382609
fermé samedi et dimanche

Tessilarte
via Toselli 100, tél. 055.364097

Antico Setificio Fiorentino
via Bartolini 4, tél. 055.213861

Brandimarte
via Bartolini 18r, tél. 055.239381

Moleria Locchi
via Burchiello 10, tél. 055.2298371

Paolo Pagliai
borgo San Iacopo 41r
tél. 055.282840

Cantinetta Antinori
piazza Antinori 3
tél. 055.292234
fermé samedi et dimanche

Pharmacie de
Santa Maria Novella
via della Scala 16r
tél. 055.216276
horaires : mardi-samedi 9.30-
19.30 ; lundi 15.30-19.30

Église Santa Maria Novella
piazza Santa Maria Novella
tél. 055.215918
horaires : église lundi-samedi
7-11.30, 15.30-18 ; 15.30-18
(jours fériés) ; cloîtres et musée
lundi-samedi 9-14 ; dimanche
8-13 ; fermé vendredi

Loretta Caponi
piazza Antinori 4r
tél. 055.213668

Procacci via Tornabuoni 64r
tél. 055.211656

Dolci e Dolcezze
piazza Beccaria 8r, tél. 055.2345458

Piansa Caffetteria e Drogheria
viale Europa 126/128
tél. 055.653198 ; fermé dimanche

Convivium, viale Europa 4/6
tél. 055.7811757, fermé dimanche

Bianchi Bianco & Figli
viale Europa 117, tél. 055.686118

Antichità Colzi Nuccia
piazza dei Ciompi 3
tél. 055.2346530

Basilique Santa Croce
piazza Santa Croce
tél. 055.244619
horaires : basilique lundi-samedi
8-12.30, 15-18.30 ; chapelle
des Pazzi et cloître 10-12.30,
14.30-18.30 ; fermé le mercredi

la piazza della Signoria. Situé le long de l'Arno, le magasin de **Roberto Raddi** est l'endroit où se perpétue la tradition artisanale de petits chefs-d'œuvre ornés de pierres dures ; un peu plus loin, on ne manquera pas de visiter la boutique des **fratelli Piccini**, qui exposent de superbes bijoux. Nombreux sont encore les ateliers et les boutiques qui animent les petites rues autour de la piazza Pitti ; on n'oubliera pas non plus les antiquaires prestigieux de la via Maggio. L'église Santo Spirito offre la surprise de son insolite façade, qui se dresse sur une délicieuse petite place. Nous sommes au cœur du quartier San Frediano, depuis toujours le principal quartier artisanal de Florence. On termine cette promenade sur la piazza del Carmine, où la **chapelle Brancacci** abrite les merveilleuses fresques de Masaccio et de Masolino. Le soir, on dîne au restaurant **Taverna del Bronzino**, qui doit son nom au peintre qui y vécut au XVᵉ siècle. En cuisine, Massimiliano prépare une cuisine familiale et traditionnelle ; en salle, Piero et Umberto démontrent leur classe et leur professionnalisme.

4ᵉ jour – Dimanche
Florence

Le matin, avant de quitter la ville, on monte assez tôt au piazzale Michelangelo, avant l'arrivée de la foule, et l'on visite l'église **San Miniato al Monte**. Après avoir admiré la façade, on découvre un intérieur baigné d'une atmosphère particulière, pleine de charme. Le pouvoir d'évocation de ces lieux est d'autant plus fort qu'au moment de sortir, on embrasse d'un seul coup d'œil toute la ville de Florence, qui s'étend à nos pieds.

Itinéraire de *janvier*
Janvier : un réveillon insolite dans le vieux couvent...

1ᵉʳ jour – 31 décembre
Florence – Cetona

Sur l'autoroute Florence-Rome, on sort au péage de Chiusi pour suivre la direction de Cetona. À la sortie du bourg, sur la gauche, on trouve la direction de « Mondo X ». C'est le nom que le père Eligio a donné à ses communautés. Après quelques tournants, voici l'entrée de la Frateria di Padre Eligio, installée dans le **couvent San Francesco**. Sur le seuil, il y a toujours un des jeunes gens de la communauté qui attend patiemment les visiteurs. Comme un ange gardien, il les emmène ensuite, à travers les cloîtres et les couloirs, jusqu'aux cellules du couvent, qui sont devenues de confortables chambres. L'impression de sérénité qui vous envahit dès le premier instant est extraordinaire : tout est harmonie, tranquillité, perfection. L'atmosphère feutrée de la salle à manger, ainsi que les gestes discrets et silencieux de ceux qui servent, anticipe la magie du repas du soir, que l'amour et le talent de Walter rendront certainement inoubliable.

2ᵉ jour – 1ᵉʳ janvier
Cetona – Pienza – Montepulciano – Sinalunga

Le rite du petit déjeuner accompagné de délicieuses confitures, de miel, de yaourts et de gâteaux, tous fabriqués par la communauté, inaugure non seulement une journée,

Artigiani della pelle
basilique Santa Croce
piazza Santa Croce

Roberto Raddi
Lungarno delle Grazie 18
tél. 055.2344939

Fratelli Piccini
Ponte Vecchio 21/23r
tél. 055.234768

Chapelle Brancacci
piazza del Carmine
tél. 055.2382195
horaires : mercredi-samedi 10-16.30 ;
dimanche 13-16.30

Taverna del Bronzino
via delle Ruote 25/27r
tél. 055.495220 fermé dimanche

Abbaye San Miniato
al Monte
via del Monte alle Croci,
tél. 055.2342731
horaires : 8-12, 14-19

Frateria di Padre Eligio
couvent San Francesco
Cetona (Chiusi)
tél. 0578.238015

mais aussi une nouvelle année. La visite du couvent, toujours guidée par notre ange gardien, occupe les premières heures. On continue la promenade sur le plateau qui domine un vaste paysage de vallées et de collines. Au milieu des bois, l'**ermitage de Belverde** nous séduit autant que le couvent San Francesco : c'est encore un des jeunes gens de la communauté qui fait la visite de cet ermitage abritant également de petites cellules transformées en chambres. C'est ici que l'huile de la communauté est amoureusement fabriquée et mise en bouteilles. Le charme de ces lieux magiques est complété par les deux anciennes chapelles qui sont ornées de fresques de l'école de Giotto. Après un apéritif à Cetona, sur la place, on rentre au couvent pour le déjeuner. L'après-midi, on prend la direction de Pienza. La campagne change complètement, et nous découvrons le paysage des Crete siennoises. Par une de ces routes sinueuses bordées de cyprès, on gagne la petite ville du pape Pie II. Le panorama, les rues, la place, le palais, tout y est perfection et harmonie. Au plaisir des yeux s'ajoutera le plaisir du palais : c'est jour de fête, mais les boutiques de la rue principale sont ouvertes pour nous proposer toutes les spécialités de ce coin de Toscane. La **Bottega del Naturista**, dont le nom est déjà tout un programme, vend des confitures du couvent, de l'huile, du vin et des fromages, ainsi que les herbes du Val d'Orcia. En continuant vers Montepulciano, on découvre l'église San Biagio, chef-d'œuvre d'Antonio da Sangallo l'Ancien. Au fond, perchée sur la colline, la petite ville domine le Valdichiana et le Val d'Orcia. On se croirait à l'écart du monde, car l'endroit échappe à la foule des touristes. Pour arriver à la piazza Grande, on gravit des rues en pente raide, bordées de palais, de boutiques et de vieilles caves à vin. Au sommet, on découvre la place : dans une ville aussi petite, son ampleur et sa beauté sont inattendues. Tout autour se dressent la cathédrale, le Palazzo comunale et plusieurs palais Renaissance, dont le palais **Contucci**, qui abrite la cave la plus ancienne et la plus renommée. Adamo, l'enthousiaste sommelier, sera le guide idéal pour visiter ce prestigieux établissement et déguster le célèbre nobile de Montepulciano. On dînera et passera la nuit à l'**Amorosa**, dans un vieux bourg du XIVe siècle, situé non loin de là, près de Sinalunga. Avec goût, amour et passion, Carlo Citterio a restauré au fil des ans ce délicieux petit bourg. Les produits de ses terres, les grands vins de la région ainsi que la qualité de la gastronomie toscane ont rendu célèbre le restaurant, bientôt complété par une série de chambres. C'est une halte à ne pas manquer : il règne une atmosphère à la fois désuète et chaleureuse qui rend l'endroit exceptionnel.

3e jour – 2 janvier
Sinalunga – Arezzo – Sienne – Colle Val d'Elsa

On prend la direction de Florence et, après environ 40 kilomètres, on sort à Arezzo. Cette ville paisible, dont les trésors artistiques réservent bien des surprises, est animée tous les premiers week-ends du mois par sa foire des antiquaires. Par une journée tranquille, on commence la promenade par la visite de l'**église San Francesco**, qui abrite les fresques extraordinaires de Piero della Francesca. En sortant, on jettera un coup d'œil au magasin **Belle Époque**, où Wanda vend des dentelles anciennes et du linge superbe. Non loin de là, **La Nuova Chimera** offre une vaste gamme d'objets anciens, choisis avec soin. Sur le corso Italia, on prendra un café et un petit gâteau à la **pâtisserie Carraturo**, installée dans une ancienne épicerie dont les salles ont été entièrement restaurées. On visitera la boutique **Busatti**, qui, depuis plus d'un siècle, vend du superbe linge de maison de fabrication artisanale. On pourra admirer le clocher des Cento buche, à côté de l'église romane Santa Maria, dont la façade donne sur le corso Italia et l'abside sur la piazza Grande. Extasiés, nous contemplons le décor

La Bottega del Naturista
via del Rossellino
Pienza

Cantina Contucci
Palazzo Contucci
piazza Grande
Montepulciano

Locanda dell'Amorosa
L'Amorosa (Sinalunga)
tél. 0577.679497

Église San Francesco
piazza San Francesco, Arezzo
visite des fresques sur réservation
tél. 0575.900404
horaires : lundi-vendredi 9-17.30,
samedi 9-17, dimanche 13-17

Belle Époque
piazza San Francesco 18, Arezzo

La Nuova Chimera
via San Francesco 15, Arezzo

Carraturo
Corso Italia 61, Arezzo

Busatti
Corso Italia 48, Arezzo

de cette place asymétrique : les loges de Vasari, qui la ferment dans sa partie haute, puis les palais qui l'entourent et qui résument toute l'histoire de la ville.

On continue la visite par la **maison de Vasari**, qui est, avec Pétrarque, le fils le plus illustre d'Arezzo. En passant par la cathédrale, on retourne dans le centre historique pour terminer notre promenade à l'**Osteria dell'Agania**, dont les museaux de porc sont une des spécialités. L'après-midi, on se rend à Sienne. Protégée par son enceinte, la ville est restée miraculeusement intacte. On laisse la voiture au parking du Campo. La grand-place de Sienne sera le point de départ de notre itinéraire. Les Siennois la nomment tout simplement « il Campo ». La première fois, on pourrait même rester assis dans un des établissements qui l'entourent pour la contempler et graver son image dans sa mémoire, en reportant le reste à une autre visite. Le Campo, qui présente la forme d'une coquille, est une des places les plus scénographiques du monde ; de la coquille, son revêtement de briques semble même emprunter la couleur rosée. Les regards suivent naturellement la pente du sol pour converger vers la silhouette, à la fois élégante et austère, du Palazzo pubblico ; avec la tour du Mangia, l'hôtel de ville de Sienne compose le superbe décor d'une scène de théâtre, dont les côtés sont fermés par de magnifiques palais. Après la visite, on reprend la route express Sienne-Florence, que l'on quitte à Colle Val d'Elsa : la **villa Belvedere** se trouve à quelques minutes. Cette villa aristocratique, construite à la fin du XVIIIe siècle, est aujourd'hui un hôtel confortable. Giovanni Iannoni et sa sœur Silvia accueillent leurs hôtes, alors que la femme de Giovanni, Daniela, s'occupe de la cuisine avec son beau-frère, Daniele.

4e jour – 3 janvier
Colle Val d'Elsa – Monteriggioni – San Gimignano – Certaldo – Vinci – Artimino

Situé à quelques kilomètres de la villa Belvedere, le petit bourg de Monteriggioni, entouré d'une superbe enceinte et surmonté de quatorze tours, vaut le détour. Les Siennois le construisirent au début du XIIIe siècle pour se protéger contre les attaques des Florentins, et il nous est parvenu dans un remarquable état de conservation. En passant par Colle Val d'Elsa, on se dirige vers San Gimignano : dans un paysage de douces collines, la silhouette de ses tours apparaît et disparaît à chaque virage. On arrive devant la porta San Giovanni : l'entrée dans San Gimignano est à chaque fois un moment inoubliable. La ville est si petite, si bien repliée derrière ses murs, que le visiteur a l'impression, en y entrant, de franchir le seuil d'une maison. Même les boutiques, serrées en rang d'oignons et débordant d'articles de toutes sortes, ressemblent davantage à des placards ou à des garde-manger qui s'aligneraient le long d'un couloir. Après la visite de la **cathédrale** et du **palazzo del Popolo**, on poursuit vers **Certaldo**, la ville de Boccace. C'est dans ce vieux bourg caractéristique qu'est enterré l'auteur du Décaméron, un des nombreux personnages illustres qui naquirent et vécurent en Toscane. On visitera sa **maison natale**, ainsi que le magnifique **Palazzo pretorio** ; pour déjeuner, on s'arrêtera à l'**Osteria del Vicario** pour goûter, dans le cadre d'un superbe cloître du XIIIe siècle, à une authentique cuisine toscane. En fermant un moment les yeux pour traverser l'agglomération de Certaldo Basso, on les rouvrira tout de suite après sur un paysage de collines d'une beauté saisissante. En prenant la route d'Empoli, on continue en direction de **Vinci**, où naquit un des plus célèbres génies de l'histoire de l'humanité. Situé à l'intérieur du château des comtes Guidi, le **Museo leonardiano** conserve les dessins et les maquettes des projets et des inventions de Léonard de Vinci, jugés extravagants par ses contemporains. Le grand homme a

Maison de Vasari
via XX Settembre 55
Arezzo, tél. 0575.300301
horaires : 8.30-19.30 ;
dimanche 8.30-13 ; fermé mardi

Osteria dell'Agania
via Mazzini 10
Arezzo, tél. 0575.25381
fermé lundi

Villa Belvedere
via Senese,
Belvedere (Colle Val d'Elsa)
tél. 0577.920966

Museo civico
palazzo del Popolo
piazza del Duomo, San Gimignano
Pour les horaires tél. 0577.940008

Palazzo pretorio
piazzetta del Vicariato
Certaldo Alto, tél. 0571.661219
horaires : 9-12, 15-18 ; fermé lundi

Maison de Boccace
via Boccaccio
Certaldo Alto, tél. 0571.664208
horaires : 9-12, 15-18 ; fermé lundi

Osteria del Vicario
via Rivellino 3
Certaldo Alto, tél. 0571.668228
fermé mercredi

Museo leonardiano
via della Torre
Vinci, tél. 0571.56055
horaires : lundi-dimanche 9.30-18

tout imaginé comme s'il possédait, outre ses géniales facultés, les pouvoirs d'un mage, capable de lire dans l'avenir. Les esquisses et les dessins présentés dans les vitrines sont absolument fascinants : les projets parlent de guerre et de paix, de science et de travail, de machines qui, en grandeur nature, ressemblent à de grands jouets capables de voler ou de naviguer. Mais notre parcours à travers les collines et la campagne n'est pas terminé. On prend la direction d'Empoli, puis de Montelupo et, un peu loin, en suivant la direction de Florence, on trouve la direction du bourg d'Artimino. L'hôtel où l'on passera la nuit est situé sur une colline couverte d'oliviers et de pins ; aménagée dans les anciens logements des domestiques, des pages et des écuyers du grand-duc Ferdinand, **La Paggeria medicea** abrite aujourd'hui des chambres agréables et originales, qui conservent le décor d'autrefois. On ne dînera pas à l'hôtel mais, au vieux bourg d'Artimino, on se rendra au restaurant **Da Delfina**, installé dans une ancienne maison paysanne et tenu par Delfina et par son fils Carlo. Il sera difficile de faire son choix sur une carte dont les secrets ont été transmis par la vieille dame à ses disciples, mais il sera encore plus difficile d'oublier les saveurs rustiques et insolites des herbes sauvages, ainsi que le parfum de la viande cuite au feu de bois.

La Paggeria medicea
viale Giovanni XXIII
Artimino (Carmignano)
tél. 055.8718071

Da Delfina
Artimino (Carmignano)
tél. 055.8718074
fermé lundi soir et mardi

5ᵉ jour – 4 janvier
Artimino – Poggio a Caiano – Florence

Ce ne sont certainement pas les bruits qui nous réveilleront ce matin, quand la lumière du jour dévoilera sous nos yeux des merveilles insoupçonnées : les coups d'œil sur un paysage enchanteur, la silhouette parfaite d'une petite église romane, autour de laquelle se serrent les maisons du bourg, ainsi que la superbe architecture de la villa médicéenne entretiennent la magie de ce petit coin de Toscane. Construite par Buontalenti en un an pour Ferdinand Iᵉʳ, la villa fut désignée, au cours des siècles, par des noms différents : la **villa d'Artimino**, parce qu'elle est située sur la colline homonyme ; « la Ferdinanda », parce qu'elle était la préférée du grand-duc ; enfin la « Villa des cent cheminées », parce que chaque pièce avait sa cheminée. Mais ce n'est pas seulement le paysage qui fait la magie de ces lieux, ce sont aussi les produits du terroir : son huile délicieuse, ses vins prestigieux, ses pignons de pin parfumés… Aujourd'hui, le Carmignano fait partie de la petite famille des grands vins. En retournant à Florence, on passe par **Poggio a Caiano**, qui n'est certainement pas gâté par sa position, mais qui jouit encore du privilège de s'être développé autour de la plus célèbre des villas médicéenne. Cette villa Renaissance fut construite par Giuliano da Sangallo pour Laurent de Médicis, qui en fit sa résidence de campagne : le prince y recevait les philosophes, les écrivains et les artistes qui faisaient partie de son fameux cénacle. Un parc magnifique entoure la villa et l'isole, heureusement, du bourg qui s'est développé tout autour. Comme d'autres villas médicéennes qui furent le théâtre d'épisodes dramatiques, la villa de Poggio a Caiano fut le témoin des amours contrariées du grand-duc François Iᵉʳ et de Bianca Cappello, depuis le début de leur idylle jusqu'à l'épilogue tragique et mystérieux de leur mort. On rentre à Florence, en ayant consacré un moment à deux illustres figures de l'histoire florentine : Dante et Michel-Ange. Leurs maisons, la **casa di Dante** et la **casa Buonarroti**, sont juste derrière la basilique Santa Croce, qui abrite leurs tombes. Ainsi s'achève un parcours qui nous aura emmenés sur les traces des hommes illustres de la Toscane. Avant le départ, un casse-croûte à la **Cantinetta di Verrazzano** clôturera l'excursion : cette fois, c'est au grand navigateur, Giovanni da Verrazzano, le découvreur de la baie d'Hudson, que nous rendrons hommage.

Villa di Artimino
Carmignano
Pour les horaires tél. 055.8792030

Villa di Poggio a Caiano
Poggio a Caiano
Pour les horaires tél. 055.877012

Casa di Dante
via Santa Margherita 1
tél. 055.219416
horaires : 10-16 ; dimanche 10-14 ;
fermé mardi

Casa Buonarroti
via Ghibellina 70
tél. 055.241752
horaires : 9.30-14 ; fermé mardi

Cantinetta di Verrazzano
via dei Tavolini 18
Florence, tél. 055.268590

Itinéraire de *février*

Février : les routes du marbre et le carnaval de Viareggio

1er jour – Mercredi
Pise – Torre del Lago – Viareggio

De Pise, on rejoint Torre del Lago en moins de 30 minutes ; c'est là, au bord du petit lac Massaciuccoli, que se trouve la **maison de Giacomo Puccini**. On dirait que le temps s'y est arrêté : une veste au portemanteau, des lunettes, des chaussures, comme si le maître nous attendait dans la pièce voisine, là où se trouve le piano, encore ouvert, où il composa ses plus belles œuvres. En continuant vers Massarosa, on arrive de l'autre côté du lac. On passe la nuit à **Camporomano**, un gîte rural situé au milieu des oliviers. On peut dîner sur place, comme des amis de la maison ; sinon, on peut goûter un excellent poisson à Viareggio, à la **Trattoria da Marco**, qui offre une belle vue sur le port.

2e jour – Jeudi
Massarosa – Pietrasanta

Après avoir visité le village de Massaciuccoli, qui conserve, parmi les oliviers, les vestiges de thermes romains, on prend la direction de Pietrasanta. Au passage, on jettera un coup d'œil sur le petit village de Monteggiori, resté inchangé depuis des siècles : ses ruelles étroites et romantiques serpentent à l'abri d'une ancienne enceinte, qui fut construite par Castruccio Castracani, seigneur de Lucques. À Pietrasanta, on visite d'abord la cathédrale et le **museo dei Bozzetti**, puis on prend l'apéritif sur la superbe place, dans un des cafés où se retrouvent artisans et galeristes, sculpteurs et artistes, pour terminer par un casse-croûte à la **trattoria da Sci**. L'après-midi, après s'être installé à l'**hôtel Pietrasanta**, on se rend à pied à la prestigieuse **fonderia Tesconi** et aux ateliers artistiques du marbre, dont le **studio Cervietti** et le **studio Palla**. On y verra des groupes sculptés en plâtre, des statues grecques, le David de Michel-Ange, des dieux de l'Olympe et un Giacomo Puccini, le nez en l'air et la main en poche. Éblouis par l'éclat du marbre, on rentre à l'hôtel pour dîner à l'Enoteca Marcucci, de l'autre côté de la rue.

3e jour – Vendredi
Pietrasanta – Carrara – Fivizzano

On quitte Pietrasanta pour Carrare. On y visite le centre historique et la cathédrale, puis on monte aux **carrières de Fantiscritti** en prenant la direction de Codena-Bedizzano et en suivant les panneaux « Strade del marmo », vers Colonnata. Là, on traverse un vieux tunnel pour pénétrer au cœur de la montagne. Les murs blancs taillés bloc après bloc, éclairés par la lumière artificielle, évoquent de gigantesques cathédrales. En suivant la route qui serpente entre les carrières, on arrive à Colonnata, petit bourg qui a donné son nom à une variété de marbre : c'est le village des carriers et des lizzatori, ceux qui transportent les blocs sur des traîneaux. Les gastronomes connaissent aussi le nom de Colonnata, qui désigne une sorte de lard ; admis aujourd'hui sur les tables des restaurants et apprécié des grands chefs internationaux, il n'est plus considéré comme la nourriture du pauvre, mais comme un ingrédient raffiné, qui permet de préparer de savoureux crostini. Le maître du genre, c'est **Venanzio**. Les vieux récipients de terre

Maison de Giacomo Puccini
piazza Belvedere
Torre del Lago, tél. 0584.341445
horaires : hiver 10-12, 15-17 ;
été 10-12, 16-19

Camporomano
Quercione (Massarosa)
tél. 0584.922313

Trattoria da Marco
via Paolo Savi 317
Viareggio, tél. 0584.389349

Museo dei Bozzetti
via Sant'Agostino 1
Pietrasanta, tél. 0584.791122
horaires : mardi-jeudi 9-12, 14.30-
19 ; vendredi-samedi 14.30-19

Trattoria da Sci
vicolo Porta a Lucca
Pietrasanta, tél. 0584.790983
fermé dimanche

Hôtel Pietrasanta
via Garibaldi 35
Pietrasanta, tél. 0587.793728
fermé dimanche

Fonderia Tesconi
via Santa Maria 32
Pietrasanta, tél. 0584.790212

Studio Cervietti
via Sant'Agostino 58
Pietrasanta, tél. 0584.790454

Studio Palla
piazza Carducci 13
Pietrasanta, tél. 0584.70224

Enoteca Marcucci
via Garibaldi 40
Pietrasanta, tél. 0584.791962
ouvert uniquement le soir ;
fermé lundi

Restaurant Venanzio
piazza Palestro 3
Colonnata, tél. 0585.758062
fermé jeudi et dimanche soir

cuite, les porcs qui sont élevés en liberté, l'ail mélangé avec du romarin et des herbes aromatiques cueillies dans la nature : voilà son secret. Une halte dans son petit restaurant est obligatoire. Dans ce coin perdu de Toscane, Venanzio parvient à proposer des plats traditionnels, préparés avec raffinement par sa femme et accompagnés d'excellents vins. L'après-midi, on prend la direction de Parme, puis de Fivizzano : nous rendons visite au sculpteur **Pietro Cascella** qui, après avoir superbement restauré un vieux château, y a réuni toutes ses œuvres. On descend au petit **hôtel Il Giardinetto**, qui ressemble à la maison d'une vieille tante. On dîne dans de petits salons de la fin du XIXᵉ siècle. Les plats maison révèlent un des multiples visages de la cuisine toscane : on goûte la tourte aux herbes et les testaroli, sorte de crêpes qui sont une spécialité de la région. Ce sont des mets simples, mais qui offrent des saveurs authentiques et naturelles.

4ᵉ jour – Samedi
Fivizzano – Luni – Massa – Querceta – Forte dei Marmi

On part jeter un coup d'œil sur le petit centre de Fivizzano et sur la belle piazza Medicea, puis on prend la route de Luni pour visiter les ruines de cette ancienne cité étrusque et de son port. On poursuit jusqu'à Massa, où le palais Cybo Malaspina dresse sa façade rouge sur la splendide piazza degli Aranci. On déjeune à la **trattoria del Borgo**, dans un vieux palais du centre. L'après-midi, on passe par Querceta pour visiter le **château Malaspina** et on gagne Forte dei Marmi pour s'installer à l'**hôtel Franceschi**, qui est parvenu à conserver l'atmosphère de jadis. Durant l'entre-deux-guerres, l'établissement fut un des lieux de rendez-vous à la mode de Forte dei Marmi : ami des Franceschi, le grand aviateur Italo Balbo, qui fut ministre de l'Air à l'époque du fascisme, arrivait par la mer à bord de son hydravion. Depuis lors, l'hôtel Franceschi est resté un des établissements les plus courus de la prestigieuse station balnéaire. Pour dîner, on s'arrêtera au restaurant **Orsa Maggiore**, qui offre une vue superbe sur le port.

5ᵉ jour – Dimanche
Forte dei Marmi

C'est le moment du shopping. On visite les **magasins del Forte** : art de la table, meubles anciens, ustensiles de cuisine. On s'arrête chez **Daniela Broc** pour s'habiller, on jette un coup d'œil sur le linge de la boutique **Pratesi**. On termine par une glace chez **Nelson** : ce sont les meilleures. On peut aussi se faire faire des chaussures sur mesure chez **Giovanni**, ou se laisser tenter par les bonnes choses de chez **Parmigiani**. Après les courses, on pourra goûter les focaccine chaudes et les succulentes pizzas de **Pizzino** : des focacce aux légumes, au jambon, aux palourdes… Ces casse-croûte font aussi partie de l'art de vivre à Forte dei Marmi. L'après-midi, on se rend à Viareggio. Le **carnaval** nous attend sur la promenade du bord de mer. Le cortège des chars est certainement le plus beau d'Italie. Les artistes du carton-pâte travaillent toute l'année pour préparer cette manifestation : c'est un art qui se transmet de père en fils. On rentre à l'hôtel à Forte dei Marmi, puis on dîne au **restaurant Tre Stelle**, où l'on goûte les spécialités de poisson.

6ᵉ jour – Lundi
Forte dei Marmi – Pisa

C'est le jour du départ. On se rend à Pise pour visiter le **campo dei Miracoli** : la tour, la cathédrale et le Camposanto. Un déjeuner au **Ristoro dei Vecchi Macelli** sera l'occasion de terminer ce voyage en beauté.

Château de Pietro Cascella
Fivizzano, tél. 0585.92444
ouvert uniquement vendredi

Hôtel Il Giardinetto
via Roma
Fivizzano
tél. 0585.92060

Trattoria del Borgo
via Beatrice 17/19
Massa, tél. 0585.810680
fermé mardi

Château Malaspina
via del Ponte 15
Massa, tél. 0585.44774
horaires : hiver samedi-dimanche
9-13, 15-19 ; été mardi-dimanche
9-13, 15-19

Hôtel Franceschi
via XX Settembre 19
Forte dei Marmi, tél. 0584.787114

Restaurant Orsa Maggiore
via Arenile 29
Forte dei Marmi, tél. 0584.82219
fermé le jeudi

Magazzini del Forte
via Carducci
Forte dei Marmi, tél. 0584.89542

Daniela Broc
via Carducci 17/A
Forte dei Marmi, tél. 0584.81545

Pratesi via Carducci 41/A
Forte dei Marmi, tél. 0584.87163

Nelson piazza Garibaldi 6
Forte dei Marmi, tél. 0584.81392

Giovanni via Risorgimento 15
Forte dei Marmi

Parmigiani via Mazzini 1
Forte dei Marmi, tél. 0584.89496

Pizzino via Roma 8
Forte dei Marmi, tél. 0584.80801

Restaurant Tre Stelle
via Montauti 6, Forte dei Marmi
tél. 0584.80220, fermé lundi

Campo dei Miracoli
piazza del Duomo, Pise
tél. 050.560547
www.duomo.pisa.it

Al Ristoro dei Vecchi Macelli
via Volturno 49, tél. 050.20424
fermé dimanche midi et mercredi